黒字化せよ！
出向社長最後の勝負
万年赤字会社は、
なぜ10カ月で生まれ変わったのか
猿谷雅治
Masaharu Saruya
解説◉五十嵐英憲
ダイヤモンド社

本書は小社より刊行した『黒字浮上！ 最終指令［新装版］』（一九九一年）を改題・改訂したものです。

まえがき

本書の内容は、一部上場会社の部長級の男が、万年赤字の子会社に社長として出向して、赴任後九か月目から黒字に浮上させた物語である。

赤字会社を再建する事例は必ずしも珍しいものではないが、本書の物語には、次のような特徴がある。

この男（沢井正敏）が出向を命じられたときの、親会社社長からの条件は、

(1) この子会社が黒字に浮上できるかどうかの最後の戦いをしてみること
(2) 戦ってみて黒字浮上不能の結論になったら、会社を整理すること
(3) 以上の結論を一年後に出すこと

というものである。

一年後につぶす可能性が高いということは、

(1) 設備投資等多額の金額を要する戦略、戦術はとれない
(2) 採用等による人員増加はできない

ということになる。つまり沢井は現有設備、現有人員によってその会社の黒字浮上をはからね

ばならないのである。したがって、いわゆる組織の活性化による業績向上だけが沢井に残された方策となる。

赴任した沢井は、長年の赤字経営によって、沈滞し、やる気を失って、暗くじめじめした雰囲気のなかで、逃避的で無責任、面従腹背、現状墨守……などなど、冷えきった人びとに直面する。そして、ここから彼の戦いが始まる。

沢井は、彼の哲学を基礎に、目標による管理の思想を中軸にして、さまざまな方策を打ち出していく。人びとは意欲づけられ、燃えて、組織が動き始める。生産性と品質が向上し、コストが下がる一方で、販売組織の活動も強くなっていく。

その結果、沢井赴任後わずか九か月目から、この会社は黒字浮上に成功する。

九か月という短期間に、現有設備、現有人員で、組織をこれだけ変化させた沢井の打った手とは具体的にどんなものだったのか。またその背後にある沢井の哲学と目標による管理の思想とは、どのようなものなのか。これを一つの物語として具体化し、最後にこの物語を理論的に整理したのが本書である。

物語の内容は、組織のなかのドロドロとした現実の人間関係が主である。本書に登場する人間は、従来の経済合理主義ひと筋のロボットではなく、悩み、苦しみ、怒り、悲しみ、笑い、喜び、感動する人びとである。このような五感のさまざまな動きのなかから、人びとはいきいきと燃え、組織が動き出してくる。こういうプロセスは無味乾燥な理屈の文章では描ききれない。本書が小説のような物語の形式をとらざるをえなかったのは、このような理由による。

物語は太宝工業㈱という会社が舞台になっている。沢井が出向した会社の現実の事例を基礎にしているが、その他のいくつかの会社の事例を含めて、物語はフィクションとして作られている。したがって沢井をはじめ登場人物は何人かの人間を複合したり、逆に一人の人間の一部分をいただいて作られた架空の人物であって、具体的にそのまま当てはまるモデルはいないことを念のため申し添えておく。

沢井のような子会社への出向社長の職にある方や中小企業の経営者の方、あるいは工場長、支店長、営業所長などの組織のリーダーやこれらを補佐するスタッフの方がたに参考になるところがあれば幸いである。

末尾になって失礼ながら、本書に含まれたいくつかの会社の事例に関係する人びとと登場する多くの部分的な人びとに深く感謝申し上げる。また、ダイヤモンド社の飯塚実氏の息の長いバックアップに厚く御礼申し上げる。

猿谷　雅治

今、本書を出版するにあたって
解説者まえがき

本書の物語は、著者、猿谷雅治氏の体験談である。初版本は一九九一年、『黒字浮上！最終指令　出向社長奮斗の記録』というタイトルで出版された。それを読み、私は矢も盾もたまらずに著者に会いに行き、その場で弟子入りを願い出た。それ以降、著者の没年までの約八年間、研修を共にしながら、猿谷氏が提唱する組織活性化策（やる気アップとチームワーク作り）の吸い取りに注力した。

人間と人間とが複雑に絡み合う組織活性化のあり方を、論理だけで説明しようとしても味気なく、本意も伝わりにくい。もっと臨場感のある、生きた材料を執筆したい。そう著者は願っていたが、その願いは読者に届き、『黒字浮上！最終指令』は初版以来今日まで、39刷を数えるに至っている。物語は面白い。「ときには頷き、あるいは涙して、一気に読み終えた」と多くの人たちが評している。

一方で、面白さのあまり、執筆意図が霞みやしないか、と懸念する向きもある。マネジメントの実践ポイントを学んでほしい、という著者の思いが、きちんと伝わっているかどうか……。だが残念ながら、増補しようにも、著者はもはやこの世にいない。そこで、ご遺族の了解をいただいて、押しかけ弟子の私が力不足を承知のうえで、若干の解説文を付記しよう、そんな経緯で本書は完成した。

まず、物語の通読を

本書の読み方は、できれば、二段構えでお願いしたい。まず、物語部分のすべてを一気に読んで、物語の面白さを堪能してほしい。それだけでも、多岐にわたる気づきが得られるだろう。そのうえで、もう一度、最初に立ち戻り、章（月）ごとに精読し、行間に込められた著者の問題意識や思考回路を探ってほしい。さらには、ところどころに挿入した私の解説ノートも参考に、みなさんの職場の現状にも思いを馳せてほしいと願っている。

「精読する↓解説ノートを読む↓気づきをメモする↓可能ならば、みんなで議論する」という手順を繰り返せば、みなさんの職場で活用できる「オリジナルのマネジメント仮説」の構築が可能になるだろう。

五十嵐コンサルタント株式会社　五十嵐　英憲

黒字化せよ！　出向社長最後の勝負　［目次］

プロローグ

出向内示

——黒字化せよ、さもなくば清算だ

「リーン……」

デスクの電話が鳴った。横浜工場設備改善計画案に眼をとおしていた沢井は、左手をのばして受話器をとった。秘書室の女性の声が流れてきた。

「秘書室でございますが、沢井部長はおいでになりますか」

「ああ、沢井ですが、何か……」

「あ、失礼しました。社長がお呼びです。お手すきでしたら社長のお部屋へおいでいただきたい、と……」

「わかりました。すぐうかがいます」

沢井は書類を伏せて、立ち上がった。まくっていたワイシャツの袖を下ろして、背後のロッカーから上衣を取り出す。

半開きにしたブラインドをとおして、窓の外にお堀をへだてて皇居の緑が鮮やかだ。丸の内のお堀端にあるこのビルの九、一〇、一一階を沢井の勤務している会社が占めている。大東金属株式会社。資本金一二六億円、社員数二二〇〇名。金属の素材メーカーだが、積極的に多角化戦略を推進して、関係会社も五〇社を超えている。沢井正敏は多角化部門の一つである建材事業部の業務部長として、建材事業全体の参謀長の立場で腕をふるっている。近くのデスクで書類を書いている秋川課長に、

「ちょっと、社長のところへ……」

ひとことことわり、秋川や部下たちの視線を背中に感じながら部屋を出た。

六月下旬の株主総会を一か月余り後に控えた五月中旬、大東金属では取締役選解任の内定が行なわれる。この人事に関連して部長級の一部の人事異動が七月一日付で行なわれ、その内示がこの時期に社長から本人に申し渡されることになっていた。例年、ゴールデンウィークの休みが明けると、この高級人事に関する憶測が社員たちの間に流れる。

沢井は取締役候補の一人として噂されていた。その噂は沢井の耳にも入っていたし、沢井自身も自分の業績から今年の取締役就任を期待していた。

ドアをノックして、

「入ります」

声をかけて、沢井は社長室へ入った。

「おう、沢井君か。まあ、そこへかけてくれ」

深々とした椅子から身体を重たげに持ち上げた梅田社長は、手のひらで応接セットを示した。デスクを回って出てくると、自分もソファーに腰を下ろして、ふうっと大きく息をついた。一八〇センチ近い長身で、最近一段と太った身体がいかにも重そうだ。五三歳、一六六センチ、中肉中背の沢井は、一〇歳以上も年上の社長の前で、自分の若さを、チラッと感じていた。

「さっそくだが、七月一日付で、太宝工業へ社長として出向してもらいたい」

「……?」

息を飲んで、社長の顔を見た。同時に、そうか、取締役昇任はなし、か――という思いが沢井の頭をよぎった。沢井の視線に社長は一瞬とまどいのような気弱な表情を見せたが、すぐに話を続けた。

「太宝工業は、君も知ってのとおり、業績の悪い会社だ。当社の傘下におさめてから約二〇年、この間ほとんど赤字の連続だ。当社も、役員を退任した経営者を社長にすえて、黒字浮上に努めてきた。が、結果は少しも良くならない。親会社としていろいろな形で支援してきたが、その親会社のほうも今や自分を支えるので精一杯だ。このうえ子会社に足を引っ張られてはたまらない……」

取締役就任を期待しているであろう沢井に、子会社への出向を命ずる。こういう嫌な話は誰だってしたくない。身体が大きく豪放そうに見えるが、気の弱いところのある梅田は、しゃべっていることで救われているように、話を続けた。

——そうか。取締役はなしで、子会社出向か。それも五〇社を超える子会社のなかで業績最悪の万年赤字会社の社長か。それが、今まで業績を上げてきた俺に対する会社の処遇か。

社長の話の切れ目に、沢井はボソッと口を開いた。

「それで、太宝工業へ行って、私に何をやれというのですか」

自然、つっかかる口調になっている。

「うん、そうだ。そこでだ。今度は年をとった役員ＯＢではなく、現役バリバリを社長にして最後の勝負をしてみたい。君は本社で大いに働いてくれた。君の業績は認めている。しかしそれは君の業務部長、つまり参謀役としての業績だ。スタッフとしての君の能力の高さは十分認める。だが、君はまだラインの長としての経験がない。私としては、それを見てみたい。同時に、その君に太宝工業の命運も賭けてみたい。太宝工業は鋳物業のメーカーで、業種としては衰退産業だ。だから、現役バリバリの君が行って頑張ってもらって、それでも黒字にならないなら、この際あの会社をつぶす。そのときはご苦労だが終戦処理までやってもらいたい」

——終戦処理までやれというのか。たしか太宝工業は社員二〇〇名ぐらい。それに専属の下請け協力会社が数社入って、それを合わせると三〇〇名近くの人が働いているはずだ。奥さんや子供さんを入れると一〇〇〇人ほどの人びとの生活がかかっているだろう。その整理を鋳物のイの字も知らない俺にやれというのか。スタッフとしての業績は認めるが、ラインの長としての実績がないだって？　俺にそういうポジションを与えてきたのは、社長、あんたじゃないか。

黙って聞いている沢井の頭のなかは忙しく動いていた。

「もちろん……」

社長が話し続ける。

「もちろん、せっかくここまでやってきたんだから、つぶすばかりが能ではない。食っていけるものなら食っていってもらう。ただ、今までのように赤字をだらだら垂れ流して、親の援助で食っているようなことでは困る。食っていくなら自立して食っていってもらいたい。だから君が行って、あの会社は食っていけるのか、いけないのか、マルかバツか、はっきり結論を出してもらいたいのだ」

「お話はわかりました。それで、その結論をいつまでに出すのですか」

「うーん……」

社長は、天井を仰いで、眼を閉じた。

「うーん……。そう、まず、一年。一年間で結論を出してもらいたい」

「一年、ですか」

「うん、できるだけ早いほうがいいんだ。一年だ」

沢井の頭のなかに辞表を出して、やめようという思いが不意に浮かんだ。三〇年近い会社生活のなかで、辞表を出そうと思ったことが過去に二度あった。これで三度目である。取締役候補といわれ、自らもひそかに任じていた期待が崩れ、屈辱感が心のなかに湧き上がっていた。さらに出向先が業績の悪い太宝工業ということも釈然としなかった。――これは明らかに左遷だ。しかもサラリーマン生活の最後の場面での左遷だ。俺はこんな処遇を受けるべきではない。

だが、若いころに辞表を出そうと思ったときと違って、五三歳となった今、会社をやめたら、この先どう食っていくのかと打算が働いた。家のローンが残っている。息子も娘も大学生で、カネ食い虫だ。

社長の話を聞きながら、沢井はあれこれ思い惑っていた。広い社長室の空気が重く固まって、沢井の肩にのしかかってくる。

沢井はやおら口を開いた。

「二年……、二年いただきたい。ひとつの会社をつぶすという重大な結論を出すのに、一年間というのは自信がありません。二年ください」

「二年。二年間か」

今度は梅田社長が眼を閉じて沈黙した。

やがて、ゆっくり眼を開いた。

「いいだろう。二年やろう。だが、一年後、つまり来年の今ごろまでには、こちらから見ていても良い方向へ向かっているのか、そうでないのかがはっきりわかるようにしてもらいたい」

「わかりました。それぐらいのことはできるでしょう。しかし、つぶすかどうかの最終判断を下すのは二年後にしていただきます」

「よかろう。それじゃ頼んだよ。あ、それから君の片腕として経理部の藤村次長を取締役総務部長として出向させる。協力してしっかりやってくれ。今の総務部長の中野君は、今年の十二月で定年だから、七月から半年間調査役という形で在籍させてもらう。よろしいな」

「結構です」

辞表を出そうか、と迷いながら、しかし、やっぱり俺は妥協してしまったという嫌悪感があって、沢井の心は混乱していた。

社長室を出て、デスクに帰るまで、廊下を歩きながら、沢井は混乱している自分の気持ちを平静に戻すように努めていた。部下たちにこの内示の内容を見抜かれてはならない。沢井は感情がすぐ表情に出るほうである。トイレに入って鏡に顔をうつしてみる。小林桂樹に似ているとよくいわれる顔が、険しくなっている。息を大きく吸って、身体をリラックスさせた。もう一度、顔を確認してから、デスクに戻った。

三日後の金曜日の午後、沢井は会社から少し離れた喫茶店で、これから自分の片腕となる経理部次長の藤村宏と会っていた。藤村のほうから電話で会いたいと言ってきたのである。

「すみません、お忙しいところを……。場合が場合ですから、社内はもちろん会社の近くではまずいと思ったものですから」

藤村は声をひそめて言い、頭を下げた。長身で、細長い顔に黒ぶちの眼鏡。紺のスーツ。手堅い経理マンで、安心して台所を任すことができる人物として定評があった。

「いや、いや。内示早々だから、お互いにいろいろ気を遣わないとね」

「はい、私は昨日秋川専務から内示を受けましまして……」

「ああ、よろしく頼みます」

「はい、こちらこそよろしくお願いします」

藤村は沢井といっしょに仕事をしたことはない。二〇年近く昔のことだが、会社がいちじるしい業績悪化に陥ったとき、責任をとって引退した経営者からバトンを受けて就任した前社長が、社員の四〇%に及ぶ人員削減を実施して、縮小均衡をはかってから再建に乗り出した。その再建の基本にしたのが、目標による管理の思想と手法であった。そのとき社長のスタッフの一人として目標による管理を研究し、その理論の構築、手法の開発、社内のPR・普及に奔走したのが沢井であった。著書も数冊出しており、社内では理論家としてとおっている。

沢井のこういうキャリアに、藤村はやや威圧感を受けていた。

しかし、紺のスーツに明るいスカイブルーのネクタイがきちっときまっていて、頭に白いものが目立つ沢井は、丸顔でいかにも暖かそうな人柄を漂わせている。笑うと眼尻にしわが寄って、ますます小林桂樹に似てくる。思っていたより気さくな感じに、藤村はホッとした。

だが、この人事で、沢井には取締役への道がなくなったと考えざるをえない。社内の下馬評は藤村も当然耳にしていた。今、沢井は取締役への道がなくなって、子会社へ出向する。どんな気持ちでいるのか。同じサラリーマンとして藤村も関心のあるところであった。しかし眼の前の沢井から、失意の暗さは感じられない。

「ところで、秋川専務からは、私は太宝工業の取締役総務部長で、沢井社長をよく補佐するようにと言われただけで、あとは沢井さんから話を聞くようにとの話でしたが」

「そうですか。それじゃ私が社長から受けた話をお話ししておこう。君には私の片腕として頑張ってもらわなければならないんだから。しかし、言うまでもないことだけど、今日、ここでの話は極秘だよ」

「はい、心得てます」

沢井は、三日前の社長とのやりとりを話した。その長い話を藤村は熱心に聞いていた。沢井が話し終えたあと、藤村は二、三の質問をしてから、次のような話になった。

「沢井さんが二年間と言ってくれたので多少救われますが、それでもきつい話ですね」

「うん、しかも一年後にはある程度の見とおしを立てなければならない。あの赤字会社がそれまでに黒字に向かって変化を起こし始めるなんてことになるかどうか」

「初めからこんな言い方はどうかと思いますが、正直なところかなり悲観的ですね。今まで太宝工業へ行った歴代の社長だって一所懸命に頑張ってきたはずですよ。そういう人たちにできなかったことを、沢井さんと私が頑張ってみても、そう簡単に黒字になるはずがないと思いますが」

「うん、それは、まあ、そうだが」

「今の社長とのお話をうかがってすぐ思ったのですが、一年か二年先につぶす公算が大きいとすれば、新たな設備投資はできませんね。私はある用事があって、この三月に太宝工業へ行ってきましたが、ひどいもんですよ、工場も事務所も。建物も機械設備も老朽化してガタガタです。新しい機械を入れただけで生産性も上がると思うのですが、おそらく億単位、それも二ケタの億単位の金がかかるでしょう。そんな投資は本社の経理部が認めるはずがありません」

「ははは……。経理部の次長さんが言うんだから間違いないね」

「いやあ、すみません。しかし、本当ですよ。だから社長が二年後には結論を出せというのは、補修費のような小さな支出は別として、新たな設備投資をしてはいけない。つまり現有設備で勝負しろということになると思います」

沢井は大きくうなずいた。藤村は、比較的口数の少ない人物と理解していたが、意外によくしゃべる。内示を受けて、かなり興奮しているのだろう。

「そうだね。そのとおりだと思う。設備だけじゃない。人についても同じことがいえる。二年後に閉鎖する可能性の高い会社に、新たに人を雇い入れるなんていうことは罪悪だよ」

「そうですね」

「うん。藤村君。僕も引き受けて社長をやるかぎり、初めからつぶす前提はとらない。黒字にして、あの会社でみんなが安心して食っていけるように努力する。精一杯努力したがだめだったときにバツになるのであって、あくまでもねらうのはマルだよ」

「そう思います」

「そこで問題を整理すると、現有設備、現有人員によって、あの万年赤字会社をどうやって黒字にするか。しかも二年、できれば一年以内で、というのがわれわれの目標ということになる」

「そうです。そのとおりですが、非常にむずかしいですね」

「うん、むずかしいだろうが、挑戦する価値のある目標だ。頑張ってみよう。よろしく頼むよ」

「はい、頑張ります。ところで、一つ気になることがあるのですが……」

「何ですか」

「通勤のことなんですが、私は丸の内の本社に通うのより近くなって助かるのですが、沢井さんは太宝工業へ通うとなると、かなり時間がかかるのではないですか」

「うん、中央線で新宿まで三十分、新宿から小田急に乗り換えて約五十分、乗り換えの待ち時間と駅まで歩く時間を考えると、どうも二時間では無理らしい」

「そうですね、二時間二十分から三十分はかかると思います。往復で五時間ですよ」

「家内も心配しているし、息子のやつは大学三年でやがてわが身だから、『企業残酷物語だね。俺はサラリーマンになるのやめるかな』なんて言っているよ」

「そうでしょう。どこかに部屋でも借りますか」

「いや、これから考えてみるけど、とりあえずは自宅から通ってみようと思う」

「沢井さんが身体を悪くされたら大変ですから、よく考えてみてください」

「うん、ありがとう。必要になったらお願いするよ」

「はい、いつでも……」

別々に喫茶店を出て、夕方の街を会社に向かって歩く沢井の頭のなかは、藤村次長との話のようにすっきりしたものではなかった。心の底に、取締役選任に洩れた不満がまだこびりついている。だが腹心の部下となる藤村にそんな気配は見せられない。だから精一杯明るく、前向きに話したつもりであった。明るく、前向きにと努めたその話し合いが、沢井の心に微妙に影響していた。

現有設備、現有人員で赤字を黒字に――設備は変えられない。とすれば、設備面からの方策はあまりあてにはできない。残るのは人間だけだ。太宝工業の社員たちは、その能力を十分に発揮してくれているのか。そのように今までの経営者は人間を管理してきているのか。そのうえでの赤字なのか。

夕方のビル街を忙しそうに歩く人ごみのなかで、沢井は、人間にしか突破口はないと思った。彼の頭のなかで、問題が次第にはっきりしてきた。同時に、その問題解決（目標への挑戦）に対する興味が次第に湧いてきたのである。

第1章

赴任

【7月】──あきらめきった無気力な社員たち

「着任以来五年間、みなさんと苦労を共にしてきましたが、残念ながら当社の業績は向上せず……、今回はからずも当社の社長を退任し、親会社の顧問として……。後任の沢井社長は私よりはるかに若く、現役のバリバリで、親会社の各部所で優秀な業績を上げてきたばかりでなく……。また取締役総務部長として赴任された藤村さんは……」

小さな台の上で、渋谷前社長が退任の挨拶をしている。七月一日の午後一時過ぎ、太宝工業の一万五〇〇〇坪の敷地を東西に貫く幅広い舗装道路のひと隅に社員たちを集めて、新旧経営者交替の挨拶が行なわれていた。梅雨が一服して雨はここ数日あがっており、雲間から時折り淡い陽がさすうす曇りの日が続いている。蒸し暑く、けだるい午後だ。

太宝工業では毎月一日の朝八時三十分から、社員全員を集めた朝礼が行なわれる。安全面を中心とした注意事項、その他もろもろについて、役員たちが交替で話をする。せいぜい十分か十五分ぐらいの朝礼である。

「今日はお二人が親会社で辞令をもらって、必要なところへ挨拶を済ませてから当社に来られる時間を考慮して、午後一時からにしたのです」

工場西側の正門を入ってすぐ右手にある木造二階建ての古い事務所の社長室で、食堂から取り寄せた弁当を食べながら、沢井と藤村に渋谷前社長は言った。都心にある親会社から、東京のはるか西部郊外の太宝工業までは、車でとばしても一時間以上かかる。沢井と藤村は今朝から忙しい思いをしていた。

渋谷前社長の挨拶が続いている。

沢井は眼の前に集まっている社員たちを見て愕然としていた。

まず、集まっている人びとの数の少なさである。太宝工業の社員は、三年前の人員削減措置によって、二二〇名から一七〇名に減っていた。工場内で働いている下請け協力会社四社の社員数も同時に削減され、八〇名から六〇名になっている。合計二三〇名の人びとが働いているというのに、集まっているのはざっと見たところ一〇〇名そこそこだった。社長が交替するというのに、あとの一〇〇名ぐらいの人たちは何をしているのだろうか。

次に、集まっている人びとの服装のひどさである。渋谷前社長以下全員同じ作業服を着ている。管理職やスタッフと思われる人びとを除いて、多くの人の作業服は汚れ、一部には溶けた金属の飛び火で焼けたと思われる小さな穴が、あちこちにあいている。足もとの安全靴の痛み具合もひどい。

そして何よりも、彼らの無表情さが気になった。社長が替わるというのに、今まで五年間もいっしょに苦労したリーダーが別れの挨拶をしているというのに、彼らの顔は死者のように表情がない。つまらぬ事務報告を聞いているようだ。

親会社からどんなエライさんが来ようと、この会社の万年赤字は変わらない。いよいよ窮すれば賃金カットと人員合理化。筋道は見えている。誰が社長になろうと同じことだ。

眼の前の一〇〇人ほどの無言、無表情の集団の心が、沢井にそう語りかけてくる。

この無表情、無気力の死んだような人びとを率いて、この会社を黒字にするのか。沢井が考えてきた突破口は、現有人員の力をどれだけ発揮させるか、しかなかったはずである。頭のなかで考えているときは、「人間の能力の開発・発揮」「組織の活性化」だ。かっこいい言葉だ。しかし、その原点になる「人間」の現実の姿は、今、沢井の目の前に汚れた作業服をまとって、無表情、無気力に立っている人びとだ。この場に出席していない一〇〇名余りの人びとは、たぶんもっと冷たく、離れた心を持っているのだろう。

——俺は、今日から、この人たちを引きつれて、この会社を黒字にしなければならない。しかもできれば一年以内にだ。

できるのか、俺に。

お手上げだ。できるもんか、そんなこと。できたら神業だ。

どうして、俺が、こんな目にあわなければならないんだ——。

眼の前の人びとの死人のような無気力さに引き込まれて、沢井の心は絶望感に落ち込んでいた。

沢井の挨拶の番がきた。台の上に立った。黒字浮上を目ざして前向きにあれこれ言うべきことを考えてはきたが、今、沢井の心を襲っている絶望感が、言葉を拘束した。ともかくも、みなさんと協力して、何とか黒字会社になるように努めたい、と月並みなことを話して、沢井は台から下りた。藤村も同じ思いなのか、沢井と同じようなことを、一語、一語、ゆっくりと噛みしめるように話して台を下りた。

聞いている社員たちには何の反応も起こらない。これが人間なのか。直面した現実のあまりの厳しさに沢井は打ちのめされていた。

解散して事務所へ帰る途中、藤村が沢井の耳元でささやいた。

「これは、大変なことですね」

「うん、しかし、やるしかない」

沢井は自分の心に鞭打って答えた。


事務所で一服したあと、沢井と藤村は新しい作業服と安全帽を身につけて、渋谷前社長の案内で現場を巡回した。東西に走るメイン道路を東へ行くと、すぐ右手にもっとも大きい鋳造工場がある。その建物のなかに製造部の事務所があった。事務所は意外に広く、ズラリと並べられたデスクに、管理者やスタッフが大勢忙しそうに働いていた。そのほぼ中央のデスクから常務取締役・製造本部長の岡田弘行が急ぎ足で近づいてきた。

「製造部内は自分がご案内します」

「ああ、よろしく頼みます。とりあえずこの事務所のなかから説明したほうがわかりやすいと思うが……」

「ハイ、では製造工程にしたがって機能別にデスクを配置してありますので、前工程のほうから説明いたします」

岡田常務は高専卒の電気技術者である。昔は大東金属の社員であったが、今は太宝工業のプロパーの役員になっている。前にも触れたが大東金属が約二〇年前にピンチに陥り、一年半かけて社員を四〇%削減したとき、岡田はある事業所の運輸課長をしていた。メーカーは直接生産部門を最後まで温存しなければならないと考える岡田は、自分の所管する運輸課のような間接部門は五〇％以上の人員を削減しなければならないと決意した。しかし、日本の産業界全般が不況にあえいでいたとき、やめていく人びとの再就職はなかなか進まなかった。

岡田は、人事部の就職斡旋担当者に頼むだけでなく、自らも走り回って部下の就職斡旋に努力した。一方、人員の減少した職場の安全と効率化を目ざして、さまざまな工夫を重ねた。就職先が見つからないままやめていく人びとのことを思うと、岡田は夜もゆっくり寝ていられなかった。岡田のこの誠意が実って、運輸課はその事業所でもっとも高い率で退職者を出したにもかかわらず、大きな問題ひとつ起こさなかった。

苦しい一年半が過ぎて、人員縮小措置が終了しようとしているとき、岡田は自分の辞表を提出した。会社はこれを受理しなかった。岡田のような管理者こそ、それからの再建途上に必要な人材だったからである。しかし、部下を犠牲にして、自分だけが社内に残るわけにはいかないという岡田の決意も固かった。会社と岡田の数回にわたるやりとりの結果、岡田は親会社を退社するかわりに、子会社の太宝工業でプロパーの社員として働くという形で、やっと妥協が成立した。以来二〇年、太宝工業のなかで岡田は昇進して、現在の職にある。

岡田は今でも、二〇年前に退職した部下たちの年一回の会合には必ず呼ばれ、はるばるその地まで出かけて行く、という話を沢井は耳にしていた。岡田にまつわるこの話は、親会社のなかの伝説の一つとして、今でも伝えられている。赴任にあたって、沢井が頼りにすべき人材とひそかに考えていた人物であった。

「沢井社長。ここが製造本部の一番前工程の設計課です。設計課長の安川君です。設計課は設計係と木型係に分かれております。いずれお時間をいただいて詳細にご説明いたしますが、今日はごく要点だけ申し上げます。

設計係は営業部からの注文票にもとづいて方案の設計をいたします。木型係はその設計書によって木型を作ります。ただし、木型製作の大部分は外注しております。これが設計係長の中村君です。木型係長の山倉君と係長代理の篠原君のデスクがこれですが、本人たちは別棟の木型工場へ行っていて、ただ今ここにはおりません。後ほど木型工場へご案内した折りにご紹介いたします」

「よろしく……」

立ち上がった管理者たちに沢井と藤村は軽く頭を下げた。

「となりが鋳造課です。これが阿部鋳造課長です。それからこれが八木課長代理です。もう一人水野君という課長代理がおりますが、ただ今現場のほうへ行っております。

鋳造課には、まず、砂型を作る造型係がありまして、これが山内係長、こちらが下川係長代理です。作られた砂型に、金属を溶かして注入するわけですが、その金属を溶かす溶解係の田中係長と早川係長代理のデスクがこれで、二人ともただ今現場へ出ております。溶かした金属――われわれは湯と言っておりますが、その湯を砂型に注入するのが鋳造係です。これが係長の杉村君です。ここには大崎君と白石君という二人の係長代理がおりますが、二人ともただ今は現場に出ております」

岡田はこのあと仕上課、検査課のラインの二つの課と技術課、工程管理課のスタッフの二つの課へと案内してまわった。

「いやあ、小さな会社のわりにはずいぶん複雑な組織、いや、人の配置なんですね。兼務や代理がいっぱいあって……」

沢井の脇で、藤村がボソッとした口調で、キツイことを言った。

「ハア……」

岡田の顔に一瞬複雑な表情が流れた。

「さあ、先がまだいろいろあるから現場を説明してください」

渋谷が岡田を促した。

「それでは、現場をご案内します」

岡田に案内されて事務所を出たところで、渋谷が沢井と藤村に言った。

「引き継ぎのとき詳細に話しますが、この会社は管理職が多いのです。昔から六〇歳定年だったこと、若い人の嫌がる仕事で採用がなかなかできないこと、したがって、平均年齢が四四歳と高いこと、年功人事体系で押せ押せになっていることなどが背景になっているところに、現場で働いている作業員の多くが、定年までに事務所にデスクを持つエライさんになりたいという願望を持っているんですな。その願望をかなえて、管理職にどんどんしているんですよ。それに管理職にすれば、残業手当を出さないで済みますからな」

なるほど、ホンネは残業手当か、と沢井は感じた。しかしベテランの作業者を直接生産工程から引き上げては、残業手当の節約よりはるかに大きな損失になっているのではないか。そんな考えが沢井の頭を走った。

　工場のなかを案内しながら、岡田常務が説明し、人びとを紹介する。沢井から見るともう少しはしょってもよいのだが、伝え聞いていた岡田の誠実な性格が十分うなずける真面目な説明ぶりであった。時折り、藤村がボソッと短い言葉で質問する。岡田と藤村の間で質疑応答が始まる。藤村が少しでも早く鋳物の専門知識を身につけようとしている真剣な姿勢が、痛いほどよくわかる。一年かせいぜい二年でマルかバツか結論を出すという期限が、藤村に圧力をかけているのだ。

　頭上で天井クレーンがガタゴトと動き出した。一段高くなった舞台のようなところにある炉のなかから溶けて白熱した金属が、クレーンが釣っている鍋に流し込まれる。その鍋を釣った天井クレーンが動いて、床に並べられている砂の鋳型に注湯される。そのたびにうす暗い工場内に火花が飛び、もうもうと青白い煙が立ちのぼる。火花は、鍋を支える作業員たちに、容赦なく飛びかかる。

「あれで、火傷しないいんですか」

　騒音のなかで大声で聞いた沢井に、岡田も大きな声で答える。

「はい。大丈夫です。鍋がはずれて湯を直接かぶれば大変ですが、火花なら心配ありません」

「だって、作業服が焼き穴だらけですよ」

「ハア、一年ごとに作業服を取り替えますが、あの火花全部が身体にあたるわけではありません。服を焦がすのはほんの一部で、それも皮膚を直接焦がすのはまずありません。眼で見るほどのことではないのです」

「ふうん、そんなものですか」

「はい、もちろん危険がゼロではありません。しかし、管理者もよく注意していますし、それに何よりもベテランぞろいで、自分たちが一番よく知っています」

注湯された金属が、砂型のなかで冷えて固まった鋳物を、型をばらして取り出す、いわゆるバラシ場では、舞い上がる砂塵のなかで、二人の作業員が黙々と働いていた。安全帽の下は防塵眼鏡と防塵マスクで、顔もよくわからない。作業服も砂塵をかぶって白く変色している。

「ひどいね、ここは……」

思わず沢井が顔をしかめる。

「はい、ファンを取り付けたり、いろいろ環境改善の手は打っているのですが」

岡田の返事の途中から、渋谷が引き継いで言う。

「あの二人は当社の社員ではありません。下請けの人間ですよ」

下請けの人間なら、どうでもよいというのか——沢井は納得できないまま、その作業員を見つめていた。

「さあ、時間がないから、岡田君、次へ……」

渋谷にうながされて、バラシ場から次の仕上棟に入る。ここからは仕上課だ、と岡田が言う。

大小さまざまな形状の鋳物があちこちに山積みされている。その山の間で、グラインダーを使ってバリを削ったり、不良部分を削ったあとを溶接で肉盛りし、その盛り上がった部分を削って平らにしたり、人びとが忙しく身体を動かしている。金属粉が飛散するため、グラインダー作業員も、安全帽の下でほとんど顔が見えない。

「真夏は暑くて作業が大変でしょうな」

「おっしゃるとおりですが、建家全体を冷房するのはコスト高になりますし、ご覧のようにファンで風を送って我慢してもらっています。実は……ここの作業員も大半は下請けの人たちです」

岡田が答えながら、先を行く渋谷のあとを追って誘導する。

「ここが検査場です。検査に合格すればここから出荷されます。製造部門の最後の工程です」

暗い検査場から外へ出ると、夏の陽差しがまぶしかった。沢井たちが工場をまわっているうちに、青空がかなり広がっていた。沢井は眼を細めてあたりを見回した。メイン道路の向こう側の小さな建物の脇に、三本の大きな木があった。その緑が鮮やかであった。

今見てきた工場のなかのあの暗い、汚れた世界は何だったのか。人間が生きていくためには、あんな情景のなかで働かなければならないのか。沢井の頭にこんな思いが流れた。藤村はまったく沈黙している。

加工工場、工作工場、特品工場と主要なところを急ぎ足で巡回して、事務所の東のフェンスぎわに並んでいる更衣室、浴室、食堂に足を向けた。長年赤字が続いているために、こういう福厚生施設にはほとんど金をかけていない。浴場の湯舟のなかのタイルは、あちこち剝げ落ちている。食堂のテーブルは汚れ、足がガタついている。

厚生棟の一番東側で、鋳造工場の横にあるトイレに入った沢井は、そこで棒立ちになった。木造ペンキ塗りの独立した建物だが、建物の各所がひずみ、ドアは開いたまま、窓ガラスは割れている。緑色のペンキはほとんど白く変色し、しかも魚のうろこがはじけたように、あちこちで反ったり、剝げたりしている。

嫌悪感を抑えて、無理に用を足しながら――これは人間のトイレではない、と沢井は思っていた。

とにかくひどすぎる。赤字だからしょうがない、倒産して失業するよりましだと言ってしまえばそれまでだが、人間をこんな状態で働かせるもんじゃない。こんなところで働かせるぐらいなら、会社をつぶして、よそで働いてもらうほうが幸せなんじゃないか。

だが、長年鋳物で食ってきた中高年の人びとに他の仕事を、というのもまた悲劇か。それなら、何としてもこの会社を黒字にして、一刻も早く、少しでもマシな状態で働けるようにするしかない。それがこの会社の経営者としての俺の責任だろう。

沢井はようやく納得しかけてきた。ボロボロのトイレのなかで、初めて何かが強く身体の奥から突き上げてくるのを感じていた。同時に大企業のキレイゴトのなかで育ってきた自分の甘さを、痛烈に思い知らされた。親会社の取締役の選任に洩れたことに対するしこりは根深いもので、そう簡単には消えはしない。だが、その一方で、沢井は太宝工業という会社の現実のなかに、次第に引きずり込まれていた。

俺はこの会社の社長なのだ。ここで働く二三〇名の人びととその家族の生活が俺にかかっている。こんな状態は長いこと放っておけない。早く黒字にしなければならない。それができなければつぶしたほうがいい。

「黒字浮上」、「一年以内に」が、沢井の心のなかで次第に重味を加えていた。

七月三日の朝、沢井は岡田と藤村を社長室に呼んだ。外は雨が降りしきっている。木造モルタルの古い事務所の、二階の南端にある社長室の窓は、風が吹きつけると窓ガラスと桟のすき間から雨水が内側ににじみ、流れ込んでくる。

「この事務所も相当のものですな」

言いながら、沢井は応接セットに腰を下ろした。かなり大きなテーブルを囲んだ応接セットで、七名がゆったりすわれる。この会社の最高意思決定と情報連絡を兼ねた部長会議と称する会合が、毎週金曜日に朝九時からこの場で行なわれている。沢井の向こう側の大きなソファの右に岡田、左に藤村がすわった。

「なにしろ、昭和二二年のこの会社創立以来の建物ですから。補修を重ねて何とかもたせてきているのです」

まるで自分の責任であるかのように、岡田はそのがっしりした肩幅を縮めて言った。岡田は沢井よりやや背が低い。しかし色浅黒く、骨太で、半袖の作業服から出ている腕はみっしりと固い肉がついていた。半白の固い髪が豊かで、その下の太い眉、大きな鼻と口、がっちりと四角く張ったアゴ――長年現場で苦労を積み上げてきた男であった。

「昨日、渋谷さんと引き継ぎをしていて驚いたんだ。私が何気なくデスクの上に置いた鉛筆が、コロコロころがっていくんだ。軸の丸い赤鉛筆だったがね。床が相当傾いているようだね」

「総務部の私のデスクも同じですよ。よく倒れないで立っていますな、この事務所」

藤村の色白の細長い顔が苦笑している。

「ところで、お二人に来ていただいたのは、いろいろお話したいことがあるのです」

そう切り出して沢井は、藤村君には繰り返しになるがとことわって、親会社の社長から受けた内示の内容をまず岡田に話した。それから七月一日の社長交替の挨拶のとき、現場巡回のとき、とりわけトイレに入ったときに受けた強いショックについて、感じたままを話した。

「つまり、私が言いたいことは、この会社は社員を大切にしていないということです。その結果、当社のトップ層は社員から信頼されていない。もっとはっきり言えば、社員から見放されている。かなり機械化されているとはいえ、鋳物業というのは労働集約型の事業です。とりわけ第一線作業員の職人的技能に支えられているところが大きい、と思います。その人たちにトップが見放されているようでは、黒字の会社でも赤字になってしまう。だから、私がやらなければならない第一の仕事は、トップと社員たちとの人間的な信頼感の回復というか、確立というか……」

「私も、そう思います。だいいち、現有設備、現有人員でという制約があるのですから、人間からしか手を打てないのです」

「うん、藤村君の言うとおりだ。これが昨日、おととい二日間の私の印象です。今まで私がお話したことに、岡田さんはどう感じておいでですか」

岡田はうつむいていた。何か、かなり強い感情に包まれている気配だった。やがて、静かに話し出した。

「お話をうかがって、今、私は身を切られる思いです。この会社に拾っていただいてやがて二〇年になりますが、その間歴代の社長に仕えてきました。そして今私は常務です。いくら社長が上にいるとはいえ、いったい私は何をしてきたのか。いろいろな疑問や不満やそして時には抵抗を感じながらも、結局ほとんど妥協してきたことを、お話をうかがいながら痛感いたしました。二〇年という年月のなかで、私もいつの間にか惰性に流され、見るべきものが見えなくなっていたのです」

「岡田さん。二〇年前、親会社であなたが何をしたか、私は話を聞いています。あなたなら、私の気持ちは必ずわかってくれると思っていました。だから、赴任早々最初の話し合いに入ってもらったのです。ともかくも、私と岡田さん、藤村君、この三人がゴタゴタしていたら何もできません。まず三人が固まって、そこからいろいろ始めてみたい。協力してくれますね」

「もちろんです」

「藤村君も」

「おっしゃるまでもありません」

「よし、それで決まった。ところで、当面私は、社員たちと直接接触することから始めたいと思っています。前からいろいろ考えていたのですが、具体的に三つの方法をとりたいのです。

その第一は、部長会議です。定例の金曜日の会議以外に、少なくとも週に一、二回、臨時に部長会議を開いて話し合いをしたい。テーマは当社の組織のあり方についてです。組織の形だけではなく、代理職が大勢いたり、管理職が多すぎる。人の問題も含めていろいろ議論をしてみたい。

そのプロセスで、部長会議のメンバーの人びとについて知り、私のこともその人びとに知ってもらいたい。部長会議の事務局は総務部になっているようだから、藤村君、ひとつお世話してください」

沢井はひと息ついて、タバコに火をつけた。

「二番目は、その下の管理職の人たちについてですが、この人たちは個別にこの部屋で、面談してみたい。仕事の合い間に一人ずつということで、全員が終わるのはかなり時間がかかると思うけれど、どんなに時間がかかろうと、部長から係長代理まで全員と面談をしていきたい。

三番目に、その下の監督者以下の作業員だが、これは私が現場を巡回して、そのなかで立ち話でよいから個別に話し合ってみたい。ついてはおといの巡回で気がついたのだが、多くの人が安全帽と防塵眼鏡とマスクで顔が見えない。おまけに安全帽の側面に書いてある名前が汚れたり、消えたりでほとんど読めない。これも藤村君にお願いしたいんだが、全員の安全帽の名前をもっと大きく、私が背後からでも名前を呼びかけられるように、ハッキリ書き直させてもらいたい。これは至急お願いしたい」

「わかりました。すぐやります」

「社長が現場を巡回されるときは、今までは各現場の課長がご案内するようになっていますが……」

「岡田さん。それはやめてください。それでは私の巡回の目的は達成できません。私は一人で歩きたいのです」

「わかりました。ただ二点ばかり気になることがあります。一つは安全面です。まだ当社の仕事をほとんどご存知にならない社長が一人で歩かれて、万一のことがあると、と心配です。第二の点は、お一人で歩かれると作業員のなかから直訴する者が出たり、それを中間管理者が気にしたりしますが」

「第一の点は、十分注意して事故が起こらないようにします。第二の点は直訴でも何でも話が出れば聞きます。しかし、直接取り上げることはしません。必ずお二人に相談します。原則的には直訴は取り上げないほうがいいと思っています」

「わかりました。何しろ、初めてのことですから、やってみないとわかりません。ともかくも、おやりになってください」

「ありがとう。当面この三つに精力を注ぎます。その間、ルーティン的なことで決定を要することや、こちらから積極的に手を打たねばならないことなどいろいろ出てくるでしょうが、これについては岡田さん、全面的にバックアップしてください」

「ハイ、やらせていただきます」

「お願いします。最後にお二人にお願いがあります。岡田さんも藤村君も真面目で、そして自分で言うのもなんですが、私も真面目なほうです。トップの三人がみんな真面目でコチコチ人間では、下の者はたまったもんじゃない。ひとつ気楽に明るくやっていきましょうや」

「ハイ」

岡田と藤村が、そろって真面目に返事をした。

「うーん、その真面目なところがいかんのだよ」
「そう急に言われても……」
「弱りましたな……」
「ハハハ……。ま、だんだんとやりましょう」

七月中旬まで、ユーザー、銀行、官公庁、同業者など関係先への挨拶まわりと送別会、歓迎会などが錯綜して、沢井は昼夜ともに多忙な日を送った。が、その忙しいなかから時間を作って、管理職の個人面談と現場巡回を始めていた。

個人面談に呼ばれて社長室に入ってくる管理者たちの緊張を少しでも柔らげようと、沢井は自宅からポットとコーヒーや紅茶のセットを持ち込んだ。相手の好みによってコーヒーか紅茶を入れて出す。お茶を飲みながらの雑談で気分を柔らかくしてから、「当社はなぜ赤字なのか。その原因はどこにあると思うか」というテーマをぶつけて、彼らの話を聞く。

初めの三人までは、沢井のほうにも固さがあったためか、あるいはたまたま事務と技術のスタッフの課長たちであったせいか、つかみどころのない話し合いで終わった。こんなことでいいのか、と沢井の心に焦りが出始めたころのことである。

沢井は四人目の面談者である仕上課長の森山順市と話し合いを始めていた。梅雨がようやく上がって、外は真夏の陽光が輝いている。クーラーのない事務所では、窓をいっぱいに開け、扇風機をフルに回転させても、汗が止まらない。森山は汚れた作業服のベルトにはさんだタオルを抜きとって、顔や首筋を拭きながら話した。家族のこと、過去の経歴など雑談めいた話のあとで、沢井はいつもと同じ質問をした。

「ところで、ズバリ聞くけど、この会社はなぜ赤字なんだろう。当社が赤字から脱却できない原因は何だと思うね」

五〇代も半ばに近い森山は、この会社に入る前にもいくつかの会社を経験して苦労を重ねている。工専機械科の出身。スポーツは何でもという筋肉質の引きしまった身体をしている。沢井の質問に、森山の顔が緊張した。一瞬のとまどいがあった。が、何かを押し切るように口を開いた。

「ホンネで言っていいのですか」

「もちろん。それを聞きたくてお互いの貴重な時間をさいているんだから」

「では、申し上げます。簡単なことなんです」

「ほう、簡単なこと……」

「そうです。要するに、当社の鋳物の技術レベルが低いということです。私は仕上課長ですが、私のところへは前工程の鋳造課で鋳込んだ鋳物が流れてきます。話をわかりやすくするため極端な言い方をすれば、欠陥がまったくない製品ばかり流れてくれれば、仕上課などほとんど要らないのです。それだけコストが下がり、納期も短くなります」

「うむ、理屈のうえではそのとおりだね」

「ところが当社の実態は、非常に欠陥の多い製品が流れてくるのです。仕上課で溶接補修したり、グラインダーで削ったり、手間ひまかけて仕上げて検査に流します。たとえば一ロット三〇個のものがあるとします。そのうち二五個が合格して、五個が再補修で返されます。もう一度手を入れて、今度は五個のうち三個が合格、二個がまた返される。そんなことをしているうちに前工程からは次の新しい製品がどんどん流れてきます。

仕上作業をしているのは大部分が下請会社の社員たちです。彼らは一日何トン仕上げるかの目方で請負っていますから、量のはかどる製品に手をつけたがります。二回も三回も手を入れなければならない面倒なシロモノなんて、やりたがりません。何となくあとから流れてきた製品の下積みにされて、所在がわからなくなったりする……」

「へえ、そんなことがあるのかね」

「あります。そう珍しいことではありません。納期がきて、トラックに積もうとすると、一ロット三〇個のうち二八個しかない。どうなってるんだって探すんですが、これが鋳物ですからね。事務所で書類を探すように、パラパラと紙をめくるなんてわけにはいきません。下請けの連中はたぶん知っているんでしょうがね、どのへんにあるのか。知らん顔ですよ」

「どうするのかね、そんなときは……」

「しょうがないから、大特急再鋳込みです。それも二個だけ作ってまた不良品を出すといけないから、三個とか四個鋳込む。そのなかから二個、良さそうなのを選んで、仕上げます。もちろん、残業、公休出勤当たり前です」

「ふーむ」

「一方営業のほうは、納期遅れですからユーザーさんに平あやまり、おわびで貼りつきです。新規の受注どころではありません。こんなことで黒字になるはずないでしょう」

「だが全部が全部そんなことをしているわけではないだろう」

「もちろん、全部ではありません。数でいえばごく一部です。でもその一部が、全体の工程を乱してしまうのです。私のところなどは週間計画はおろか、朝作ったその日の計画が順調にそのまま進むなんて珍しいくらいですよ。それもこれも前工程の鋳造課の技術さえ良ければこんなことにはならないんですがね」

「うーむ」

沢井は思わず絶句した。話半分と聞いてもかなりのものだ。鋳造課、仕上課の雑然とした現場の光景が頭に浮かんだ。よし、これを少し突っ込んでみるか。

それまで無作為に面談の対象者を決めていた沢井は、翌日、前工程の鋳造課長・阿部勇二を指名した。

社長室に入ってきた阿部は大学で冶金学を専攻した技術屋である。背はあまり高くないが、がっしりした身体に砂と油にまみれた作業服を着て、色の黒い、およそ大学出のエンジニアには見えない男であった。眼が大きく、笑うと童顔になって親しみが持てる。例によって沢井がサービスするコーヒーを飲んで雑談しているうちにも、その誠実さ、素朴さが伝わってくる。

沢井は、この会社を黒字にして、社員の生活を安定させたいと思っている、だからあえて名前をあげて話をするが、その目的のためだから、個人的な感情のしこりを持ってはならない。君もまた会社を黒字にするために、思っていることを洗いざらいしゃべってくれと前置きして、昨日の森山課長の話をした。

阿部課長の大きな眼が伏せられた。いろいろな思いが頭のなかを走っているようであった。やがて顔を上げて、阿部は次のようなことを言った。

⑴ 社長の言われる趣旨はよくわかった。前工程の鋳造課の技術が低いと森山課長が言ったことについて、別にしこりは持たない。

⑵ しかし、森山課長の見方は間違っている。当社の鋳造技術のレベルは、決して業界の平均以下ということはない。当社は創業以来、技術の太宝と称してきたほどの会社である。

⑶ ただ当社の技術のなかで現在もっともレベルが低いのは、方案の設計技術である。三年前の人員削減措置のとき、五九歳と五七歳の名人芸ともいうべき設計技術者をやめさせた。以後彼らに代わるほどの技術者が育ってない。方案が悪ければ、鋳造課がいかにあがいても良い製品はできない。

「つまり、鋳造課の前工程の設計課に問題があるというのだな」

「そうです」

阿部は悲しそうな顔で返事をした。

阿部課長を帰したあと、沢井はすぐ設計課長の安川孝を呼んだ。夕方になっていたが、もう放ってはおけなかった。

大学の機械科出身の安川はまだ三五歳。若い課長だった。色の白い、きゃしゃな身体の安川課長は眼鏡の奥でひんぱんにまばたきしながら、沢井の出した紅茶を飲んだ。紅茶が好きでと言うので少し水を向けると、安川は紅茶についてかなり学のあるところを示した。冗舌と思われるほどよく話をする。身体と同じように神経も細かい人間と感じた沢井は、森山、阿部両課長の名前をあえて出しても具体的に問題提起する理由をくどいほど話したうえで、本論に入った。安川課長の青白い顔が赤くなった。彼は早口で反論した。その要旨は次のとおりである。

(1) たしかに三年前の人事措置で名人クラスが二人退職した。しかし、彼らはその技術を他人に伝えようとしなかった。五九歳と五七歳だったから、ああいう措置がなくても、六〇歳定年の当社では、彼らの技術が引き継がれないまま退職する事態は、遠からず起こることだった。

(2) 設計課の私以下の若手の連中はこのことを予期して、設計技術の向上と客観化、つまり新人にも容易に伝えられるようにＩＥ（インダストリアル・エンジニアリング）の視点と手法を勉強し、努力してきた。もちろん全員が退職した二人と同じ名人のレベルになったとは言わないが、われわれの設計技術は、少なくとも同業他社の水準よりもかなり高い線にあると自負している。

(3) 当社の製品が品質的にあまり良いレベルにないことは、不良率、補修率などの数字が統計的に証明している。作っている製造部の技術が同業他社の平均水準以上にあるのにそういう結果になる原因は、営業部門にある。

(4) 当社の営業力は弱い。一般に鋳造業界は昔から目方売りで、形状が簡単で目方の張るもののほうが利益が大きい。ところが当社の営業はこういう注文をあまり取れなくて、形状が複雑で目方の軽いものや、むずかしい配合の合金材料の鋳物を押しつけられてくる。

「こんな受注をされては工場がいくら頑張っても黒字にはなりません。赤字の根源は当社の営業部門の弱さにあると確信します」

「うーん、ハッキリ言うなあ」

「間違いありません。それが最大の原因です」

「……」

窓の外はかなり暗くなっている。いつの間にか、腕や首筋が何か所か蚊に食われていた。安川課長を帰し、都心にある東京営業所に電話した。所長の和田貴也をつかまえると、翌朝面談する約束をした。

翌日、朝から蟬の声がうるさいなかを、和田所長が汗を拭き拭き社長室に入ってきた。大学法科卒。三八歳。総務部で人事を担当していたが、三年前の人事措置のとき、営業に回された。小太りの何もかも丸い感じで、話してみると心もソフトで丸い。だが、沢井の話が森山、阿部、安川の三人の課長の話に及ぶと、さすがに和田の顔が引きしまった。

「社長、むずかしいことは言いません。常識で考えてください。何で当社だけがむずかしい注文ばかり取ってくるでしょうか。それはなかにはむずかしいものもあります。しかしやさしいものもたくさん取っています。他社も同じです。よその会社だって納期遅れやクレームがあります」

「じゃ、当社の赤字の原因はどこにあるというのかね」

「あまり言いたくはありませんが、せっかくのチャンスですから、思い切って言います。当社の製造技術の低さと管理の弱さにあります。われわれ営業部門はそれをみんな知っていますから、極力作りやすいものを受注するよう努めているつもりです。それでも、正直のところ他社よりクレームや納期遅れが多いのです。結局それへの対応でわれわれセールスの精力の多くが浪費されて、新規受注に十分な時間がとれません。悪循環なのです。この悪循環から抜け出せないのが、当社が長年赤字である最大の原因です。一人ひとりはみんな一所懸命に頑張っているのです」

「……」

沢井はふたたび絶句した。赤字の犯人を追って、仕上↓鋳造↓設計↓営業↓工場とぐるりと回って、元へ戻った。和田所長のいう悪循環とは違う意味で、これも大変な悪循環だ。

沢井は赴任するまで、受注が少なく、工場の操業度は低くて、それで赤字なのかと思っていた。だが、和田が一人ひとりはみんな一所懸命に頑張っていると言っていたように、工場の現場はかなり残業もやって、ほとんどフル操業という状態だ。フル操業で赤字。いったいこれはどうなっているのだろうか。

和田所長が帰ったあと、沢井は長いことデスクで考え込んでいた。

そこでふと沢井は何か本質的なものをつかんだように感じた。製造工程の川下の仕上課長は、赤字の原因は前工程の鋳造課にあると言う。その鋳造課長はさらに前工程の設計課だと言い、設計課長はそのまた前の営業部門だと言う。そして営業所長は赤字の原因は工場にあると言う。沢井はひと回りして、結局元へ戻ったのだ。

――そうだ。つまり、誰もオレだと言っていない。俺の責任だという人間がいないのだ。責任のなすり合い。ジメジメした雰囲気。それはまさに老朽化して汚れきったあの工場の空気そのものだ。こんな暗さから、良い製品が生まれるはずがない。

それに、と沢井は思う。

――人の心がバラバラだ。誰も手をつなぎ、助け合って進もうとしていない。こんな組織にロクな仕事ができるはずがない。つまり、こんなことでは黒字になんかなれっこないのだ。

森山、阿部、安川、和田の面談した四人の課長の顔を沢井は思い浮かべてみる。彼らが互いに悪意を持ち、憎み合っているとは思えない。まして責任のなすり合いをしていいと思っているはずがない。だが、おそらく親会社から来るトップの前で、長年赤字の言い訳をしているうちに、いつかそれが身についてしまったのだろう。

会社の中枢にある四人の課長がこんな姿勢では、この会社は絶対に黒字になるまい。タコツボのなかに閉じこもって身を守り、時折り頭を出して様子をうかがう。危険がせまると身を縮めてツボのなか深くかくれてしまう。職場でのこんな生き方が身についてしまったら、彼らが働く喜びや生きる喜びはつかめない。こんな生き方は、哀れではないか。

しかし、彼らをこんな生き方に押し込めたのは彼らの上司、とりわけ親会社から出向した経営者にほかならない。彼らが生まれつき、こんな哀れな生き方を身につけていたわけではあるまい。むしろ彼らは犠牲者なのだ。

そして、今は俺が出向社長だ――と沢井は思う。赤字、黒字はとりあえず二の次だ。彼らがその哀れな生き方から脱却して、もっと率直に明るく生きられるように、俺がしなければならないのだ。

沢井はようやくハラが固まってきた自分を感じていた。

では、何から手をつけるか。金のかからないうまい手はないか。沢井は家に帰ってからも考え続けた。そして考えに考えた末、次の三つの言葉を得た。

(1) オレがやる
(2) 協力する
(3) 明るくする

七月下旬の部長会議に、沢井は二つのことを提案した。一つは、現在行なわれている当社の目標による管理は完全に形骸化しているので、このさい中止したいこと。当面予算と月次実行計画で運営していく。もう一つは、この三つの言葉をこれからの当社の行動指針としたい。そして八月一日の朝礼で社員にアピールしたいと提案した。

沢井はこの件についてかなり熱っぽく説明したのだが、メンバーたちの反応は空虚なものであった。誰も反対する者はいなかったが、それは「どうでもいい」「どうぞご自由に」「お手並み拝見」という程度の賛成であった。岡田と藤村ですら、この件については十分な理解には至っていないようであった。

解説ノート 1　出向内示から7月までをふり返って

赴任に際して沢井社長が考えたこと

赴任して一か月、もろもろの葛藤を乗り切って、ようやく沢井社長は三つの方針を打ち出した。そこに至るまでの沢井社長の思考プロセスは、いかなるものであったのか。その内容を確認してみよう。

出向内示を聞いたとき、「明らかに左遷じゃないか。こんな会社は辞めてやる！」といきり立った沢井社長も、近親者の説得もあいまって、最終的には出向人事を受け入れた。悔しさと情けなさとが入り混じり、さぞかし心は曇天模様だったにちがいない。

そんななかでも、沢井社長は太宝工業の再建プランを必死になって考えた。業績向上は、⑴優れた戦略と⑵組織活性化（やる気アップとチームワーク作り）の組み合わせによって可能になる。しかし、太宝工業の場合には、親会社の意向により、戦略的な取り組みは許されない。残されたのは組織活性化という手段のみ。そこに沢井社長は一縷の望みを託したのである。

一五馬力のために必要なこと

沢井社長は、組織活性化の決め手は「Y理論」にある、(注1)と考えた。Y理論とは、「人間の潜在的可能性」を信じて、その開発に強い期待と熱意を抱くこと。沢井社長は日頃から、「一〇馬力のモーターはどう動かしてみても一〇馬力しか発揮しないが、人間は、条件次第で、五馬力の場合もあれば、一五馬力の力を発揮することもある」と人間の持つ可能性について語っていた。(注2)松下幸之助も、「人間は磨けば輝くダイヤモンドの原石」という思いを持って、上司が部下に接することの必要性を説いている。(注3)いずれもY理論の人間観であり、そのようなリーダーの心構えが組織活性化方策の推進には不可欠なのである。

では、一五馬力の発揮に向けて、リーダーは具体的には何をしたらよいのだろうか。

沢井社長は、二つの押さえどころを持っていた。一つは、人間に対する「真摯な態度と働きかけ」である。人間はさまざまな欲求や価値観を持っている。感情で行動が支配されることも稀ではない。そういう生身の人間と真正面から向き合って、決して、いなしたり、茶化したり、逃げたりはしない。きちんと関わることがリーダーとしての真摯な態度の基本である。また、生身と生身とが協力し合い、「より良い人間関係の構築」と「一体感のある職場作り」に努力する。その努力を、日常コミュニケーションの工夫などによって支援することもマネジメントの重要な役割である。

もちろん、人間に対するアプローチだけで、組織が活性化するわけではない。もう一つ、忘れてならないのが、合理的、かつ効率的な「業務の仕組み作り」と「運用努力」である。たとえば、日常業務がスムーズに流れるように「分業と協働の仕組み」を整備する。創意工夫が湧き出るような「仕事研究の場」も用意する。そういう取り組みに不備や不足が生じると、仕事はギクシャックを繰り返し、人びとのやる気も減退する。

組織の人間的側面とシステム的側面との両方に、バランスよく、ありとあらゆる手を打てば、「人が燃え、組織が動く」という状態が出現し、黒字化も決して夢ではないのである。

責任の矢印を自分に向ける

このような思いを抱いて、沢井社長は赴任をするが、着任早々、太宝工業の実態に直面し、「Y理論をベースに、ヤル気とチークワークで黒字にする」という再建構想は挫折の危機に直面する。こんな状態では、黒字はとうてい無理だ。どうしてオレがこんなひどい目に……。感情の矛先は出向人事に向かい、挙句の果てには、歴代出向者に対する疑問と怒りさえもが湧き出てきた。

しかし、そんなマイナス感情と他責の思いをぐるぐる回してみても、自分がこの会社の社長であることに変わりはない。そのオレが他責と怒りの虜になってどうするか。そういう自問自答が沢井社長のなかで始まった。そして、沢井社長は責任の矢印を、自分に向けようと決意する。「何としてでも、社長の責任をまっとうする」という決意は、沢井社長にプラス思考をもたらした。そこから、「オレがやる、協力する、明るくする」という三つの基本方針が生まれたのである。この三つの方針を、従業員はどのように受け止め、どう反応したのか。それが次章以降の物語である。

注1 『新版・企業の人間的側面』（D・マグレガー／産能大学出版部／一九八〇年）
注2 『目標管理の再設計』（猿谷雅治／青葉出版／一九八三年）
注3 『人生心得帖』（松下幸之助／PHP研究所／一九八四年）

第2章

「オレがやる、協力する、明るくする」

【8月】——改革が始まる

八月一日、朝八時三十分。太宝工業の朝礼の時間である。

沢井はマイクを片手に、新しく作らせた高い壇の上に立っていた。これだけ高ければみんなの顔がよく見える。しかし集まっている一〇〇名余りの人びとの姿は先月と変わっていない。汚れた作業服に安全靴。無気力な眼。見つめているとその暗い雰囲気のなかへ吸い込まれそうになる。その雰囲気に逆らうように、沢井は努めて明るく話し始めた。

「みなさん、おはよう。今日は社長としてみなさんに直接お話ししたい重要なことが、三つあります。よく聞いてもらうだけでなく、今ここにいない人たちには、今朝社長からこういう話があったとみなさんの口で伝えていただきたい。

まず第一は、六月の当社の月次決算についてお知らせします。販売量は一五〇トンで、売上高二億一一〇〇万円。経常損益は残念ながら一九〇〇万円の赤字です。また昨日で終わった七月については、これは大ざっぱな推定ですが、販売量約一六〇トン、売上高二億二〇〇〇万円、損益はたぶん一〇〇〇万円前後の赤字になると思われます。

暑いなかをみなさんは一所懸命に働いてくれましたが、残念ながらその結果は以上のとおりです。

もちろんこのような赤字を続けていて、いいはずはありません。みなさんにしても生活の基盤である会社の業績がこんなでは、いろいろ不安を感じておられることと思います。親会社から支援を受けているから何とか続いていますが、もし当社が独立の会社だったら、とっくに倒産しています。

そこで、何とか当社を黒字にして、みなさんが安心して働ける会社にしたいと私は考えています。そのためには、当社のあちこちを変えなければなりません。われわれが誰も彼も今までと同じ考えで、同じように仕事をしていたら、赤字の状態が続いていくことになります。黒字にしよう、安心して生活できるようにしようと思ったら、ほかの誰でもない私やみなさん一人ひとりの考えや行動を変えなければなりません。

そこで、私からまず今までと変わったことを言います。それが今日二番目にお話ししたいことです。それは従来やってきた目標による管理を、本日をもってやめます。これは部長会議や課長会議で、すでに了解をとっています。当社の目標による管理は完全に形骸化しています。死んでいます。だからやめます。みなさんは自分の目標カードを今日破ってください。私のやりたい目標による管理は、もっといきいきしたものです。いずれそういう目標による管理をやるつもりですが、それまで中止します。当面の会社の運営は予算と月次実行計画でやっていきます。

さて、最後のもっともよく聞いていただきたい話ですが……」

沢井はひと息ついてみんなを見渡した。あいかわらず無表情な顔が並んでいる。しかし少なくともかなり真剣に聞いてくれている、と沢井は感じた。

「今日一番しっかり聞いてもらいたいことは、会社を黒字にし、われわれの生活を安定させるために、どっちの方向へわれわれの考えや行動を変えていったらいいのか、という方向についてです。私は次の三つの方向を決めました。

その第一は『オレがやる』ということです。当社には協力会社の人びとを含めて二三〇名の人がいます。私を含めてこの二三〇名の人たちが、それぞれ自分が変わらなくては、変化が起こらないのです。ほかの人が黒字にしてくれるのではありません。オレが黒字にするのです。オレがやらねばならないのです。

第二は『協力する』です。会社は組織で動いています。誰かがオレがやると変化しても、そのとなりの人が今までどおりでは、足を引っ張ることになります。組織というのは協力関係です。一人の人が変化を起こす。となりの人が協力して変化する。こういう人と人とのつながりが広がって、組織が変化し、黒字になっていくのです。

さて第三は『明るくする』です。正直のところ、当社は暗く、ジメジメしています。赤字が続き、人員削減なども行なわれてきたのだから、無理もありません。しかし、こんな暗い雰囲気のなかでは良い仕事ができるはずがありません。黒字になれば自然と笑いも出て明るくなるのでしょうが、それを逆に考えて、笑顔で明るく仕事をしていれば黒字になると思ってください。そういう変化を、それこそオレがやるで、われわれがやらねばならないのです。いいですか、嘘でもいいから笑って、明るい雰囲気にしましょう……」

冗談めかして言った沢井の言葉につられて、苦笑か失笑のような笑いがところどころで起こった。やっぱり聞いてくれている——その笑い声が、沢井を勇気づけた。

「繰り返して言います。一、オレがやる。二、協力する。三、明るくする。この三つの言葉が当社を黒字にし、みなさんが安心して生活できるように変えていく方向、手がかりです。どうか、この三つの言葉を心に焼きつけてください。私の今日の話を終わります」

朝礼を終えて、用事があるという岡田常務といっしょに部屋に帰ると、すぐ藤村が入ってきた。

「何か用事かね」

「いえ、用事ではありません。朝礼での今のお話は大変良かったと思ったものですから。とくに三つの方針のお話は、部長会議でうかがったときは、正直のところもう一つピンときませんでしたが、今朝のお話を聞いていて、現場の人には実に的確な言葉だと感じました」

「私も同感です。みんなが真剣に聞いていました。朝礼であれだけみんなが熱心に聞いたのは、初めてだと思います」

「そうですか。それを聞いていくらか安心しました。実は今日あれだけの話をするのに、ここのところ三日間ほどいろいろ考えていたんです。でもこれからです。まずあの言葉をみんなになじませることです。何回も口にしているうちになじんでくる。私もやりますが、お二人も会社のあちこちに何彼につけてあの言葉を使って、社内の流行語にしてください」

「承知しました。やってみます」

「私は明日から営業部長といっしょに関西のユーザーさんの挨拶まわりで一週間ほどおりませんが、その間この言葉の普及を含めて、よろしくお願いします」

　翌日から沢井は高野営業部長といっしょに名古屋、大阪、広島、福岡とユーザーを歩きまわった。高野は東京の下町生まれ、下町育ちで、現在もそこから通っている。大学時代にかなりダンスに熱中したと称している。色白、長身の身体に、この鋳物会社の社員としてはセンスの良い背広、ネクタイで、いかにも営業部長というスタイルである。

外見はカッコイイが、頭のなかは下町の職人風で、「セールスマンはつべこべ言わず、靴の踵をすり減らしてかせげ」と部下を怒鳴る男だ。ビールが好きで、一日歩いたあとは部下たちとビールを飲む。色の白い丸顔が次第に赤く染まり、同時に笑顔になっていく。その至福のときの顔は愛敬に満ちあふれ、憎めない。

その高野部長の案内で炎天下に関西のユーザーを歩いた。営業という仕事にはまったく未経験の沢井には、勉強になるところが多かった。ユーザーの多くは自動車や鉄鋼メーカーである。天下に名の知れた超一流企業である。

親会社の部長の立場であれば相手の部長と互角につき合えるのだが、小さな鋳物会社の社長ではせいぜい課長どまりで、部長にはめったに会うこともできない。購買部門の担当者と工場現場の技術者や監督者が主な相手である。八月の暑いさなか、背広、ネクタイで工場の広い敷地をきつい照り返しを受けながら、歩いて現場へ行く。冷房もない現場事務所で、扇風機を背にした自分の息子のような若い担当者が半袖の作業服で応対する。クレームでもあろうものなら、「やあ、太宝さんちょうどよいところへ来てくれた。お宅に電話して文句を言おうと思っていたところだ。先月納めてくれたお宅の製品ね、あれはダメだよ……」と延々と文句が始まる。

こんな情景はセールスマンならいくらでも経験していることだろうが、沢井には初めてのことである。さすがに高野は慣れている。沢井よりひとまわり大きい身体の高野は、汗かきの沢井以上に汗をかく。ハンカチで汗を拭き拭き大きな身体を縮めて頭を下げていたかと思うと、急に胸を張って押すところはしっかり押している。やっとの思いで外へ出ると、

「社長、お疲れさまでした。クレームがつくと面倒でして……、悪いところをお見せしました。あと二か所へ寄りますが、うまくいくといいのですが」

ケロリとした顔で歩き出す。その二か所を回ったあとで、

「ちょっと工場のなかをのぞいて帰りましょう。うちの製品を使ってくれているところを、社長は初めてですからぜひ見ておいてください。同業の八尾工業や西沢鋳鋼のもいっしょに使っていますから、比較できますよ」

まるで自分の会社の工場のなかへ入るように、入っていく。顔見知りの監督者を見つけてはことわりを言って、機械のそばに行くのだ。

朝から夕暮れまで、真夏の陽ざしのなかをこんなことの繰り返しだ。暑さと初対面の大勢の人びととのやりとりで、沢井はかなり疲労する。夜ホテルにつくとホッとした。高野がビールに相好をくずす心境がよくわかってきた。

高野部長との一週間の出張の道々、沢井はかねてから疑問に思っていたことを、高野と話し合った。それは、工場が低操業のため赤字というのならわかるが、残業、公休出勤もかなりやって、ほとんどフル操業になっている。にもかかわらず赤字というのは販売価格が安すぎるのではないか、という疑問である。

沢井のこの疑問に対して、高野は——当社の工場の設備、人員で月産一三〇トンからせいぜい一五〇トンというのは低すぎる。それで残業、公休出勤をするのは工場の側に問題がある。販価には世間相場があって、そんなに高くも安くも売れない。コストが高すぎるのだ、と反論した。

「私の頭のなかにある大ざっぱな数字では、たとえば……」

沢井は言った。

「たとえば六月の月次決算は販売量一五〇トン、売上高二億一一〇〇万円。それで一九〇〇万円の赤字だ。仮に販売価格を一〇％アップしたら売上高は二億三〇〇〇万円で、この上積みされた約二〇〇〇万円はそのまま損益好転要因となって、月次決算はちょうど損益トントンになる。しかしこれでは赤字は回避できても、黒字にはならない。君が言うように工場側も決して効率的に操業しているとはいえない。これを改善、効率化して、かりに営業と同じように一〇％コストを下げることができれば、一千数百万円の黒字になる。

このすべてを工場に責任を負わせて三〇〇〇万円ぐらいのコストダウンをやらせるのは現実的ではない。営業も一〇％販価アップする。工場も一〇％コストを下げる。そうすれば当社は黒字になる。工場のコストダウンはこれから次第にやっていく。それに先駆けて、営業が販価一〇％アップに努力してもらいたいのだが」

「しかし、受注競争の激しいなかで、当社だけが販価アップすれば、失注が続出します。全体の受注、売上げが落ちると、固定費負担が大きくなり、かえってコスト高になって、悪循環になります」

高野は頑強に抵抗した。この議論は結局社長対部長という力の差で、結論が出た。出張の終わり、別れぎわに高野はしぶしぶ一〇％値上げの努力をしてみると折れた。

翌週の定例部長会議で沢井はこの件を提案した。高野営業部長はすでに了承済みという沢井の言葉に、誰からも反論は出なかった。

「では、直ちに営業は実行してください」

と指示したものの、こういう押しつけたやり方は必ずしも成功しないことを沢井は後に知らされることになる。別のやり方で、後に販価アップに成功するのだが、あれだけ高野部長と話し合った結果なのだから、ある程度は実現するだろうと、沢井はこの段階では安易に考えていた。

一方、臨時部長会議における組織改正をめぐっての話し合いは、回を重ねるにつれて次第に内容が具体化してきていた。七月に四回の定例会議と六回の臨時会議、計一〇回の積み重ねで、メンバーもかなり発言するようになってきた。

沢井は話すのは嫌いではない。いや、どちらかというと話し好きのほうである。一五年ほど前にセンシティビティ・トレーニングを体験して、人の話の腰を折っても自分が話す傾向が強いことと人の話を聞くことの重要性を自覚して以来、極力聞くように努めている。とくにこの部長会議では、みんなの緊張を柔らげ、少しでもホンネで話し合うことのできる雰囲気作りに努めてきた。

藤村総務部長は、言うべきことはキチッと言うが、元来口数の少ない男である。岡田常務は現場向きで、こういう会議をあまり得意としない。大東金属からの出向者である沢井と藤村と、もと大東金属社員の岡田があまり発言しないと、あとの四人のプロパーのメンバーたちはなかなか発言しにくい。そこで会議は重苦しい雰囲気になる。そこを何とかしようと沢井が発言すると、いつの間にか沢井の一人舞台になっている。そんなことを繰り返しているうちに、大島部長が次第に発言するようになった。

彼は大学の工学部機械科出身の技術者で、取締役工務部長として会社全般の機械、設備の保守、管理を担当している。小柄だがスポーツ万能で、筋肉質のひきしまった身体をしている。色が黒い。本人はスポーツで陽にやけて黒くなったので、生来は色白の美男子であったと称している。

「鋳物は職人の名人芸で作るものだ。職人の名人芸というものは、長年の苦労に耐え、工夫を積み重ねて、技術の奥にある心――つまり心意気を自得して得られるものです。そういう職人がうちにもいる。そんな人たちがいきいきと仕事ができる組織、そして何よりも若手のなかから、そういう職人が育ってくる組織を作らねばなりません。現状は当社にかぎらず機械化、合理化と理屈にばかり走っている。理屈で鋳物なんか作れるもんじゃない。今度の組織改正はここに主眼をおくべきだ」

大島はこんな考えを基本路線としている。

これに近いのが高野営業部長。七名のメンバーのうちただ一人の社員部長である。大学の法学部出身だが、法律を少し勉強してから、自分にはもっとも向かない学部に入ってしまったと思いながらも、ズルズルと卒業したと自称する男。大柄、色白、童顔は大島と対称的だ。笑みを絶やさず愛想がいいが、これでけっこう口八丁、手八丁の手ごわい男である。

「大島部長と基本的には同じ考えです。機械化・自動化などの合理化はやらねばなりません。しかしどんなに機械化が進んでも職人の名人芸に頼らなければならない部分が必ず残ります。鋳物業は残念ながら衰退産業とみられています。しかし、この世の中から鋳物の需要がまったくなくなるということはないと確信しています。とくに機械では作れない仕様のむずかしいものが必ず残ります。それを作れる名人芸を持っているかぎり生き残れるはずです。昔当社にもその芸があったのですが、最近はその点が問題です。このへんを取り返すことを狙いとして組織改正すべきです」

大島も高野も下町の生まれ育ちである。江戸っ子は五月《さつき》の鯉の吹き流しで、わりと早く発言して打って出てくれる。沢井も下町の生まれで、小学校二年まで下町で育っている。祭りの囃子《はやし》が聞こえてくると、今でもそわそわと落ちつかなくなるほうである。鋳物のことはまだよくわからないながらも、この二人の話し方や雰囲気には同調するものがあって、沢井は腹のなかで苦笑いした。

この二人がよく発言し始めるものだから、会議は当初その方向に引っ張られた。しかし回を重ねるうちに、津野取締役特品部長が口を開き始めた。

「大島部長や高野部長の言われることは、たしかに鋳物というものの本質をついていると思います。しかし、今は組織改正の話をしているのであって、気持ちや雰囲気のことを話しているのじゃない。いきいきと仕事ができる組織といっても、組織というものは社長の下に部があって課、係があって、その下で作業員たちが働いている。その部や課や係をどう作り変えるか。つまり仕事の仕組みというか、システムというか、そういうものをもっと効率的にするにはどう組み立てたらいいか。それがこの会議のテーマでしょう。まさか職人がいきいきと仕事をする課とか若手職人育成課を作れなんていうわけではないんでしょうね」

抑揚の少ない低い声で静かに話す。面長で能面のように端正な顔をしている。津野は冷静な合理主義者である。相手の感情を刺激するようなことを平然と言うことがある。大島や高野のような人情派とは対照的である。

そこで大島や高野がカッとなって、これに嚙みつく。こんな場面がだんだん見られるようになってきた。大変いい傾向だと、沢井はたっぷり嚙み合ってもらっている。が、ある段階までくると友川取締役技師長が乗り出す。

「まあまあ、どちらももう少し冷静に話しなさい。会議というものはいろんな意見をぶつけ合って、そのなかから良いのをとって結論に持っていくことだから、ただ反対意見を繰り返しても無駄なことですよ。お互いに主張ばかりしていないで、もっと相手の意見をよく聞きなさい」

友川はプロパー社員の最古参である。業界でも古顔の一人として名が通っている。温厚な人柄で敵はいないが、何ごとも丸く、丸くという事なかれ的傾向がある。

こんなときはたいてい藤村がさばく。

「組織というものは、仕事の仕組み、システムとしてのハードの面と、その運営というソフトの面との二面性を持っています。大島、高野両部長は主としてこのソフトの面を重視しておられるようです。また、津野部長はハードの面を強調しておられる。この二つの面をいっしょにして議論しては混乱します。問題を整理して、どこから切り込んでいくか、切り口を決めてかかる必要があると思います」

沢井は、藤村という男は口の重い人間だと聞いていた。この会社で初めていっしょに仕事をするのだが、あまり冗談も言わず、たしかに口の重い人である。だが、必要なとき、何かを感じたときにはかなり長い話をする。しかも真剣にだ。その真剣さが伝わって、説得力が強い。

このような会議を何回も積み重ねた結果、八月二十二日深夜に及んだ会議で、次のような組織改正の基本方針が決定した。これはそれまでの討議を踏まえて、藤村部長がとりまとめたものである。

(1) 現行組織を機能的に整備・簡素化する(とくにライン、スタッフの位置づけを明確にする)。

(2) 課の機能を拡大する(日常の管理は原則として課長以下に任せ、部長以上は経営機能に注力できる体制とする)。

(3) 職務・権限のあり方を明らかにする(なるべく簡単な職務権限表を作る)。

(4) 管理職位につく人は極力少なくして、係長および係長代理級(資格制度上の副参事)の人は、資格はそのままだが、仕事は現場で実務を行なう体制を検討する。

(1)、(2)、(3)項は比較的問題なく決定された。会議が深夜に及んだのは(4)項でもめたからである。太宝工業一七〇名の社員のうち五〇名が管理職である。しかも係長、係長代理には老練な名人芸的技能者が多い。これらの人を現場からはずして事務所で管理業務をさせているのは、当社の生産能力をいちじるしく低くしている、というのが藤村総務部長の初めからの意見であった。沢井と岡田はこれを支持した。しかし友川、津野、大島、高野のプロパーの四人のメンバーは全員反対した。とりわけ大島がもっとも強硬に反対した。

「当社の職人たちは中学か高校を卒業して、一〇代から仕事に入って六〇歳の定年まで四〇年あまり働くのです。残念ながら当社の業績が悪く、給料やボーナスは同業他社はもちろん、この近隣地域の中小企業に比べても見劣りする程度のものしかやっていません。そのうえ、火花と砂ぼこりのなかで働いているのです。福利施設もお粗末です。こういうなかで彼らの唯一の望みは定年までに何とか管理職になって事務所に自分のデスクを置いてもらう、つまり、エライさんの一人に自分もなりたいということなんです。

今、係長や係長代理になっている連中はいずれも三〇年以上当社で働いて、やっとデスクを持った人たちなんですよ。いくら資格はそのままといっても、そのデスクをとりあげて、明日から一般の作業員といっしょに現場で働けといったって、そりゃ無理ですよ」

「そのとおりです。そんなことをしたら、現場へ出された連中はもちろんのこと、それを見ている一般の作業員もみんなやる気を失って、生産性は今より大幅に落ちますよ」

高野部長がバックアップする。二人の下町育ちの人情派がもろに表面に出てきた。津野もこの件では大島、高野に同調した。

「こういう言い方はしたくありませんが、前の経営者は彼らの願望をかなえて、係長代理を大幅に増やしました。もっともホンネは管理職にすれば残業手当を払わないで済むという考えのようでしたが、それにしても結果は彼らの願望をかなえたことになります」

「みなさんの意見に私もだいたいにおいて同感ですね」

友川もこの件についてはハッキリと同調した。

沢井は社長の権力を押しとおそうかとも思った。賛成三、反対四だが、賛成三のうち一人は社長の沢井である。彼がそれでも自分の意見を押しとおせば、彼らがそれ以上反対するまでの気概を持っているとは思われない。少なくとも部長会議の公式結論を、藤村部長の提案どおりとすることはできる。しかしここでそれを強行したら、これから先のトップ層の思想統一は、ほとんど不可能になるだろう。

深夜に及んで、沢井が妥協した。が、この問題はいつか実現しなければならないと沢井は考えた。そこで今回の改正で実現するのは(1)、(2)、(3)項の三項目とし、(4)項は公表せず、極秘に藤村部長にその実施の可否をさらに検討させる、ということで話がついた。

一年かせいぜい二年で会社存亡の結論を出さなければならないという話は、この段階では沢井は岡田と藤村以外には話していない。これを話せばこの問題の結論は変わったかもしれない。しかし、その話が洩れたら、もっと大きな混乱が起こる。現段階ではこのへんにしておこう、というのが沢井の考えであった。

そしてここから先は組織改正の実務的分野になるので、これらの方針を具体化する改正案は、藤村部長が総務課長と二人で煮つめていくことになった。

それにしても、組織改正をめぐっての臨時部長会議の積み重ねは、沢井という人間をメンバーたちに知ってもらい、逆に各メンバーを沢井が知り、お互いの心をつなぐという当初の目的をかなり果たしたように、沢井には思えた。もちろん他方で沢井は、管理職の人たちとの個人面談と現場巡回による監督者や作業員との接触も、精力的に続けていた。

「田川君、ご苦労さま……、やあ、上村君、ご苦労さま」

安全帽に作業服、安全靴をつけて、沢井は今日も工場のなかを歩いている。その服や靴もかなり汚れてきた。

「はい、ご苦労さま」

背中を向けて仕事をしながら返事をする者、「やあ」と仕事の手を休めて会釈する者、まったく無言で振り向きもしない者、反応はさまざまだ。一人ひとりの人間とできるだけ早く心を開いて話し合いをしたい、と沢井は苦労している。

幸いなことに、沢井には初めから一つの手がかりがあった。発令を二日後にひかえた六月二十九日の夜のことである。沢井の自宅に電話がかかってきた。

「沢井さん、こんばんは。勝田です。ごぶさたしています」

「やあ、勝田君か。こちらこそごぶさたして……」

二〇年余り昔、沢井がまだ大東金属の管理職になったばかりのころ、九州の福岡に本社のある福住機械という子会社へ出向したことがある。そのとき、勝田はプロパーの若い社員で、沢井の部下として働いた。一年半という短い期間で沢井は大東金属の人事部勤務を命ぜられ、東京に帰ってきた。福住機械は大東金属を中心とするグループ全体の業績不振による大幅人員削減措置のなかで、間もなく整理された。そしてその社員たちは、大東金属のいろいろな事業のなかに吸収された。勝田もその一人で、現在は大東金属の社員としてある事業部の経理課長をしている。

「いや……ところで、沢井さんが今度太宝工業の社長として出向なさると聞きましたが」

「やあ、もう知っているのか。早耳だね」

「そこで、先走ったかもしれませんが、太宝工業の連中に連絡をつけました」

「……?」

「福住機械がつぶれたとき、太宝工業に大勢の社員を拾ってもらいましてね。今一四名いるんですよ、福住の出身者が、太宝に」

「ほう、一四名もいるのか」

「福住で労組の執行部にいた中沢さんと倉本さん、それに長老では坂上さん、若いのでは中津川とか下村……このへんになると沢井さんはよくご存じないでしょうが、この間から主だったところへ電話をかけまくって、どんな状況か私はよく知りませんが、ともかくあなたに全面的に協力するように言っておきました。みんな喜んでますよ、あなたが社長で来るのを。それにしても電話でいろいろ聞いてみると、太宝という会社も相当なもののようですね」

「いやあ、すまん。お手数をかけた。よく教えてくれた。ありがとう」

「なあに、あなたの人徳ですたい。頑張ってください」

こんなひと幕があったのだ。

赴任してみると、たしかに一四名が工場のなかのあちこちに配属されていた。労組の執行部にいた中沢と倉本は、当時総務部主事という肩書きの沢井と、賃金交渉などで渡り合った人たちである。しかし福住機械には一年半しかおらず、そのうえ福岡から離れている工場にはときどきしか行けなかった沢井は、あとの人びとの顔をほとんど覚えていない。だが、これは沢井が工場のなかを歩いていると、先方から声をかけてきた。

「沢井社長。私はもと福住にいた下村です」

「ああ、下村君か。そうか」

「勝田さんからお電話いただいて、お待ちしていました。何でもやりますから、何かあったら言ってください」

「うん、ありがとう。よろしく頼むよ」

現場を一人でまわり始めた当初から、あちこちでこういうパイプが開かれた。だが、残念なことに彼らは太宝工業の生え抜きではない。太宝工業の鋳物作りの牙城である鋳造工場は、ほとんど生え抜きの社員で占められている。旧福住機械の社員たちは、特品課とか主流からはずれた職場に多く存在していた。


八月下旬のある日、沢井は鋳造工場を歩いていた。砂型作りの年老いた作業員が、しゃがみこんで木型を抜いたあとの砂型の小さな崩れを、へらで修正しているところにぶつかった。安全帽の横に書いてある名前を確認して、

「友部君……」

声をかけようとして、沢井の口がとまった。友部は息を止め、へらの先に全神経を集中して、砂型の崩れを修正している。その真剣な姿勢が、声をかけるのをためらわせたのである。

一か所の補修を終えると、砂型の前にしゃがんだまま友部はやおら沢井を振り仰いだ。

「……社長」

前歯が一本欠けたままになっていて、息がもれた。

「やあ、ご苦労さま。しかしみごとなもんだね。私なんか補修した部分の見分けがつかないね」

「そりゃね、見分けがつくようだ、話にならんよ」

「うん、そりゃそうだろうが」

「一丁やってみるかね。ここのちょっと欠けたところを、この砂とへらで……」

「うん、いいかね。このへらで、こうして、くっつけて……、あれ？　こりゃだめだ。欠けがかえって大きくなった」

「ハハハ……。まあ素人はそんなものよ。社長にうまくやられたら、わしらメシの食い上げだよ」

言いながら、友部はその欠けをみるみるきれいに仕上げてく。

「うーん、みごとな腕だ。名人だ」

「そりゃあね。この道三〇年だからね」

「この道ひと筋に三〇年か。すごいわけだ。しかし、それにしてもいろんなへらを持っているね」

「ああ、へらかね。まだこんなにあるよ」

友部は分厚い布の袋を広げた。大小さまざまな形をしたへらが、二〇本ほど並んでいる。

「これ、全部手作りだよ。俺が作ったんだ」

「へーえ、じゃ、そっちの中川君のへらとは違うのか」

沢井と友部のやりとりを知らん顔して脇で作業していた中川が、こちらを向いて言った。

「なかには同じような形のものもあるけど、これは俺の作ったへら。友部さんのとは違う。他人の道具は使えないよ」

「そうか、流儀が違うんだ。甲賀流と伊賀流なんだ」

「うん、社長うまいこと言う。俺が甲賀流で、友部さんが伊賀流だ」

「そうだ。甲賀流の名人と伊賀流の名人だ。たいしたものだ。ハハハ……」

「ハハハ……」

不意に起こった三人の高笑いを、周りの作業員数人が驚いたように見ている。

「だけどさ、社長……」

中川が急に真面目な顔になって近づいてきた。

「あんた、朝礼で、オレがやるって言ったけど、俺たちはへらも俺自身で作って仕事してるんだ。俺たちの仕事は初めっから終わりまで全部俺がやっている。だから失敗しても俺の責任よ。俺たちは初めっからオレがやるなんだよ。だけど、そうじゃねえ奴がえらそうな顔してっから、うまくいかねえんだ。よけいなことかもしれないけど、俺の気持ち言っとくよ」

「そうか、ありがとう。しっかり聞いたよ。じゃ、怪我しないように。頑張ってな」

脇で、友部の前歯の欠けた顔がうなずいているのをチラッと見て、沢井は歩き出した。

歩きながら沢井は考える。今日は友部と中川という二人の男と心がつながった。つまり同志が二人増えた。現場を歩き回ることで、彼らを明るく元気づけ、やる気を盛り上げていく。同時に同志を作っていく。少しずつそれに成功してはいる。だが、赴任後もう二か月近い時間が流れている。こんなテンポで間に合うのか。

それに何をやるにしても自分と作業員との間に五〇人もミドルがいる。このミドルを変化させ、変化したミドルの支持を得なければ、本格的なことは何もできない。目下のところ個人面談に力を注いでいるが、まだ半分も終わっていない。何かほかに並行して打つべき手はないのか。それを検討しなければならない。とにかく、もっとピッチを上げなければ。一年以内に親会社のトップの眼にもわかる変化を起こさなければならないのだが……。

疑問と不安を抱いて社長室に帰ると、藤村部長が飛び込んできた。慎重、寡黙な藤村としては珍しくやや興奮した様子である。

「社長、今朝聞いたのですが、若手の社員たちが勉強会を始めたようです」

「へえ、どんな人たちですか」

「そっと調べてみたんですが、設計の中村係長、鋳造の杉村係長、仕上げの大川係長代理、技術の柳野係長代理、課長クラスでは阿部鋳造課長と西村技術課長代理、このへんは若手とは言えませんが。以上のほかに、主として大学出の若い平社員が加わって、一二名ほどのメンバーです」

「ふむ、それで、何を勉強しようというのかね」

「それが……、何かもう一つハッキリしないんですが、社長が課長たちとの個人面談で、当社はなぜ赤字なのかと共通して聞いているようなので、そのへんをテーマにして、フリーに論議するところから始めよう、というようなことのようです。昨夜一回目の会合を持ったようですが、そこでは後半は、今なぜ三方針のオレがやる、協力する、明るくするなのか、という議論でだいぶ賑やかだったということです」

「うん、それで、どこからその情報が入ったんですか」

「経理の渡辺君もメンバーになっているものですから」

「なるほど。ともかく何であれ自発的に始まったことは結構だ。オレがやるだからね。基本的には総務としてはバックアップしてやってください。ただ、よくある青年将校の暴発にならないように。いずれにしても、当面そっと脇から見ていたらいいんじゃないかな」

「ハア、私もそう思います」

藤村が帰ったあと、沢井は椅子に腰を下ろした。女子社員が持ってきたお茶を飲む。煙草に火をつけて、眼を閉じた。

組織の下のほうで、あるいは裏のほうで、何かが動きかけている気配が感じられる。しかし、それは一日も早く何とかしたいと思う沢井の願望からくる欲目なのだろうか。俺は現象を正確に把握しているか。沢井は自分の頭のなか、心のなかを点検してみる。だが、自分が自分を点検することのむずかしさを知らされただけだ。

沢井は疲労を感じた。眠くなる。沢井の自宅からこの会社まで、片道二時間三十分かかる。往復五時間もの通勤が五三歳の沢井の身体に疲労を積み重ねていた。赴任以来二か月、夢中で走り続けてきた沢井は、最近疲労を感じ始めている。

この前の日曜日の朝、沢井はなかなか起きられなかった。もう起きなければとふとんのなかで思いながら、身体がだるく、うつらうつらしていた。リビングからコーヒーの香りといっしょに家族の声が流れてくる。

「私、起こしてこようか」

この春大学に入った娘の声がする。

「うん、起こしてみろよ。別に病気じゃないんだろ」

大学三年の息子だ。

「ダメ、ダメ。そっと寝かせておきなさい。疲れてるんだから」

妻が二人を押えている。

「だけどさあ、オヤジ、こんなの初めてだよ。どんなに遅く帰ったって、いつも朝は一番に起きてたじゃないか」

「そうよね。寝ていたほうがうるさくなくていいけど、こんなに遅くまで寝てるなんて、そういえば始めてよね」

「おふくろさん。このままだと、オヤジ病気になるかもしれないよ。要注意だな」

「わかってます。お父さんのことは私がちゃんとみてますから、あなた方は心配しなくてもいいの。さ、早く食べなさい」

狭い家だ。八月の暑い盛りで、仕切りの襖などを開けているせいもあるが、家族の声が、うつらうつらしている沢井にも伝わってくる。

ふーん、結構俺のことを気遣ってくれているんだ。みんなを心配させないように、起きていっしょに食事をしなければ……と思いながら、身体がいうことをきかない。

相当疲れてきたな……と思いながら、沢井はまた眠りに落ち込んだ。

日曜日のそんな記憶をふり払うように、沢井は椅子の上で身体をしゃんと立て、お茶を飲んだ。そして書類箱から分厚い書類を取り出した。

「新積算方式の決定について」という件名の稟議書である。読み始める。当社の現行の積算方式は昭和四二年に決定したもので、その後のオイル・ショックその他の社会・経済状勢の変化によって、コストの構造が大幅に変化して実状に合わなくなっている。加えて当業界では昔から目方売りの慣習があるため、営業としても取扱い商品の正確なコストを把握しないまま受注していることがある。

これらの弊を改め、合理的な受注をするよう営業・技術両部門からのプロジェクト・チームを編成して検討を重ねた結果、新方式を得た。これはすでに六月の部長会議で了承を得たものである。決裁あり次第ただちに実行したい、という趣旨の説明と、新旧両方式の算式ならびにその詳細な説明がついている。

沢井は思い出していた。渋谷前社長との引き継ぎのとき、

「近く新積算方式についてという稟議書が出てくるはずです。これは相当な精力をさいて検討してきたもので、これが実施されれば、営業面でかなりの合理化が期待できます。しかし、かなり

専門的な内容なので、今の沢井さんにはご理解になれないでしょう。先日の部長会議でわれわれも十分検討して了承をとってありますので、稟議書が上がってきたら、黙って判を押して決裁してください」

という話があった。なるほど、算式とその説明は専門的で沢井には十分理解できなかった。しかし、先日の高野営業部長と出張先で議論したように、工場はフル操業なのにどうして赤字なのか、営業の販売価格に問題があるのではないかという疑問の解明には役立ちそうな感じがする。とりあえず黙って判を押しておくが、この新積算方式はいつか近い将来に役立たせる重要な情報の一つとして、頭にインプットしておかねばならないと沢井は考えていた。

沢井のこの直観が正しかったことは、やがて事実となって現われてくるのである。

第3章

本音のコミュニケーションとストローク

【9月】——社員の士気を高める方法

九月一日の朝は、曇っていた。灰色の雲が重く広がっている。風がなく、むし暑い。時折り雨つぶが落ちてくる。

工場内の大通りの朝礼の場所に、三々五々集まってくる社員たちの姿を見ながら、来月からは天候を気にしないで朝礼ができるように食堂で朝礼をしよう、と沢井は考えていた。

「それでは九月の朝礼を行ないます。初めに、社長からお話があります」

井原総務課長の大きな声を聞きながら、沢井はマイクを片手に壇上に立った。

井原は大学時代フットボールの選手をしていたという大きな男で、机上で細かく書類仕事をすることはあまり得意ではないが、身体を動かす仕事なら率先して取り組んでいく。世話が好きで、社員の個人情報に詳しい。何しろ入社のときから面倒をみている社員が多いのだ。

「みなさん、おはよう。雨が降りかけているので、なるべく手短に話しますが、話す内容は重要なことが多いので、しっかり聞いてもらいたい。そして先月もお願いしたように、ここに出席していない人たちに、今朝社長からこういう話があった、と伝えてもらいたい。

さて、第一に、七月の確定した月次決算ですが、販売量は一六八トン、売上高二億二三〇〇万円で、損益は一八〇〇万円の赤字でした。販売量が多い割に売上高が少ないのは、単価の安い製品が多かったからで、損失が一八〇〇万円と大きいのも同じ理由によります。

次に、昨日までの八月の業績の推定は、販売量一三〇トン、売上高二億円、推定損益約一〇〇〇万円の赤字になりそうです。営業部門が販売価格の一〇%値上げの努力をしてくれていますが、まだ成果が上がらず、相変わらずの赤字が続いています。

ところで今日から始まる九月の状況ですが、営業の努力で受注はかなり増加してきています。というより、このところ受注残が増加しつつあります。つまり工場の製造のほうが、営業の受注に追いつかないのです。どうか今月はみなさんのいっそうの努力で、生産量を上げていただきたいと思います」

話しながら、沢井はみんなの顔を眺め回していた。個人面談以来かなり心を開いて話し合えるようになったミドルの人たち、九州の福住機械出身の人、赴任以来二か月にわたって繰り返し現場を歩いて話し合ってきた監督者や作業員たち、その後ろのほうにまだ接触が十分でない協力会社の社員たちの顔が見える。そして何よりも、彼らがかなり集中して沢井の話を聞いてくれている。

「次に、二番目の話として、先月朝礼でお話しした三つの方針について、繰り返して申し上げます。簡単な言葉だし、その後社内のあちこちに紙に書いて貼り出したので、みなさんの頭にはもう入っていると思います。

第一は、『オレがやる』です。当社の業績の赤字から黒字への転換は、誰か他人がやってくれるのではありません。オレがやるしかないのです。そのための工夫や改善を、オレが率先してやるしか道はないのだ、ということです。

第二は、『協力する』です。率先して黒字への工夫や改善をやる、そういうオレが他のオレと協力して、一たす一が二ではなく、三以上の成果を上げる。そのような前向きの協力を、誰かがやるさ、ではなく、みなさんが、それぞれの職場で、オレたちがやってほしいのです。

第三は、『明るくする』です。先月私はたしかにウソでもいいから明るく笑ってくれと言ったと思います。残念ながら赤字の状況は変わっていませんが、気持ちのあり方などというものは決心一つです。たった今からでも、よし決めた、オレは明るくなろうと思えば、明るくなれるのです。明るくなるための手続きとか手数料はいりません。どうせ生きていくオレの人生です。暗くじめじめ生きていくより、明るく愉快に過ごすほうがいいに決まっています。さあ明るく笑ってください、と私が言っても、急には無理かな……」

沢井はニコッと笑いながら、ひと息ついてみんなの顔を眺めた。小林桂樹に似ている沢井の顔は、笑うとぐっと親しみが出てくる。ところどころで軽いどよめきが起こった。

「さて、最後の三番目の話をします。十月一日付で当社の組織を変更して、新しい体制で発足する予定です。七月に私が赴任して以来、部長会議を何回も開いて、働いている人たちの努力がもっと効果的に業績に結びつくような組織のあり方を検討してきました。課長会議にもかけて、課長たちの意見も取り入れました。八月中旬に改正の基本方針が決まり、今総務部長のもとで具体案を詰めています。今月の中旬までに最終決定をして、十月一日から新体制で、黒字に向けて走り出す予定です。

この組織改正の討議は、ときには夜遅くまでかかりました。取締役や部長たちも『オレがやる』と頑張っているのです。組織改正によるいろいろな変化にみなさんもぶつかると思いますが、『オレがやる』『協力する』で積極的に変化にぶつかって、一日も早く当社を黒字にして、『明るく』安心して生活できるようになろうではありませんか。以上で私の話を終わります」

岡田常務が安全関係の注意事項などを手短に話して、朝礼を終えた。ポツポツ落ちてくる雨のなかを、沢井は事務所に向かって急いでいた。その背後から、

「沢井社長……」

声をかけて走って来る者がいた。

協力会社の一つ、太宝サービスの梶原社長である。小柄だが、色黒の精悍な容貌のなかで、眼がクリッと愛敬のある表情をしている。かけ寄ってくると、いきなり両手を出して沢井の手をつかんだ。

「沢井社長、私は今日感動しました。太宝工業は必ず黒字になります。及ばずながらオレもやります……」

突然のことで、沢井は対応にとまどった。

「私は、二〇年間太宝工業の下請けでメシを食わせてもらってきました。朝礼も数え切れないほど出ました。しかし、先月もそうでしたが、会社の業績をはっきり数字で知らせてくれたのは、あなたが初めてです。今まではただ悪い、悪い、だから頑張れというだけで、どのくらい悪いのか、どうしたらよいのか、われわれ下請けの者はもちろん、太宝の社員でも知らされなかったのです。

あなたは先月、先々月の数字を言ってくれた。それに今月はどんな具合かも話してくれた。三つの方針も示してくれました。組織の改正についても話して、われわれに方向を教えてくれた。ついていきますよ、オレは。太宝工業は必ず黒字になる、とオレは今日確信しました。二〇年、

こういう日を待っていたんです。嬉しくって、つい……」

握りしめていた自分の手を見て、梶原社長はもごもごと手を離した。沢井の胸にも突き上げてくるものがあった。組織の活動の結果やこれから進むべき方向をトップがみんなに示すのは当然のこととしてやったことなのだが、その当然のことが長い間行なわれていなかった。二〇年、こういう日を待っていた――という梶原社長の言葉が沢井の胸を突いたのだ。

そうか、こんなことでいいのか。こんなことで、人は感じてくれるのか、という意外な思いが沢井の心にあった。同時にその当然のことすら行なわれていなかった、それも二〇年という長い年月にわたって行なわれていなかった組織のなかで生活してきた人びとの苦しみが、沢井の心を動かした。

今度は沢井が手を出して梶原社長の手を握った。現場で長年苦労してきたその手は、事務系で育ってきた沢井が、自分の手が恥ずかしくなるほどゴツゴツと固かった。

「ありがとう。同志が一人できた」

言葉はそれで十分だった。雨のなかで、二人は長い間手を握り合っていた。

社長室に帰った沢井の頭に、今別れてきた梶原社長、岡田常務、藤村総務部長、ミドルの何人かの人や九州福住機械出身の人たち、そして現場まわりのとき仕事の手を休めて沢井と立ち話をしてくれる作業員たちの顔が浮かんできた。こういう人をもっと増やし、その関係をもっと確かなものにして、来月からの新しい体制で突っ走れば……あるいは黒字浮上も……。沢井は小さく、微かだが、それでも手ごたえともいうべきものを感じていた。

忘れないうちにと、沢井は藤村部長を呼んで、来月から朝礼を食堂でやることを指示した。検討しますと帰った藤村は、間もなく井原総務課長を連れてきた。

「検討しましたが、今までも雨天の日などには食堂でやったこともあるようです。現在のように一〇〇名そこその出席なら食堂でも入れるようですが、少し人数が増えると入りきれないようですが」

「そんなことはないだろう。あれだけの広さなんだから」

「ハイ、広さだけいえば二〇〇名は入りますが、何しろ食卓と椅子があるものですから」

井原課長が言う。

「おや、それじゃ今まで食堂で朝礼をやったとき、食卓と椅子はどけなかったのかね」

「ハイ、出し入れが大変ですから」

「ははあ、それでわかった。朝礼に一〇〇名ぐらいしか出席しないのは、朝礼での話の内容もさることながら、会社側が一〇〇名ぐらいしか入れない場所でやったからだ。つまり、あとの一〇〇名は、会社から無視されているんだ」

「……」

「朝礼は、トップが協力会社を含めた全員に、直接話しかけることができる唯一の場だ。私は、そこでの十分か十五分の話について、何を、どのように話すか、真剣に考えて話している。だから聞くほうも暑さ寒さ、雨などに気をとられないで、真剣に聞いてもらいたいのだ。そのために、少しでも良い条件で聞いてもらいたい」

「ハイ……」

「大変ご苦労なのはよくわかるが、現場の人にも応援してもらって、食卓と椅子を外に出して、二〇〇名全員が入れるようにしてもらいたい」

「わかりました。やります」

井原課長が大声で答えた。こういう仕事には、彼は割り切りが早い。おそらく井原自身が率先して食卓と椅子の運搬に取り組むのだろう。

「うん、頼みます。それから、ちょうど二人がいるから、お願いが一つあるんだが、毎週末にその週間に起こった社員たちの個人情報が欲しいんだが」

「個人情報といいますと……」

「うん、たとえば、誰のところで赤ちゃんが生まれたとか、子供さんが中学に入ったとか、逆にご不幸があったとか……つまり、現場まわりをするときの話のきっかけが欲しいんだ。プライバシーの侵害になるようなことはもちろん注意してもらって、ごく表面的な情報でいいんだ」

「承知しました。そういうことなら部長の手を煩わすまでもありません。私か、総務の鈴本か、どちらかが毎週メモを作ってお渡しします」

「うん、頼んだよ」

八月の盆休み前後はユーザーまわりの多かった沢井は、九月には課長との個人面談と現場巡回にかなりの精力を集中した。現場巡回には総務からの個人情報が大いに役立った。

「ご苦労さん。田倉君、赤ちゃんが生まれたそうじゃないか」

田倉がびっくりして作業の手を休めてふり向く。

「社長、どうしてそれを……」

「ハ、ハ、ハ……。社長といえば親も同然だ。ちょっと古いかな。ま、いずれにしても、君たちのことはたいてい知っているんだ。女の子だそうだね」

「ハイ、女の子です」

「ふーむ。君に似ないで、奥さんに似てくれるよう祈ってるよ」

「それはないですよ、社長」

「冗談、冗談。ところで名前は」

「四日前に生まれたばかりで、まだつけていません」

「そうか。いい名をつけなさいよ」

「ハイ。女房のおふくろが手伝いに来てくれて、私につけさせろってやかましいんです」

「うーん、バアちゃん子になるおそれがあるな。でも、手伝いに来てくれて助かるだろう」

「ハイ。今日の朝礼で、受注残が増えてきてるっていう社長の話でしたから、うっかり休めないなと思ってましたが、おかげで安心して出勤できます」

「やあ、僕の話をしっかり聞いてくれたか。そして、オレがやるってガッチリ受け止めてくれたんだ」

「へへへ……。まあ、ね」

「いや、ありがとう。帰ったら、お母さんに社長がお礼を言っていたって伝えてよ」

「ハイ。伝えます」

「じゃ、ケガしないように、安全に」

沢井の現場巡回は、こんな話し合いが多い。当初は沢井が現場をまわった後、管理職たちが気にして、どんな話をしたのかチェックしたこともあったようである。だが、この程度の話と知って、次第に気にしなくなった。

しかし、沢井は必ずしもこんな話ばかりしているのではなかった。とくに各現場の監督者や古参の作業員たちとは、個人的な話のほかに、仕事の状況や人間関係の現状などについて話を聞いた。また労組の幹部、とりわけ三役の北見成雄委員長、釘本昭副委員長、小林純一書記長の三人のところでは、比較的長い時間立ち話をすることが多かった。選ばれて労組の三役になっているだけに、これらの人びとはものの見方もしっかりしており、それぞれそれなりの意見を持っていて、沢井は教わるところが多かったからである。

北見委員長は三六歳の働き盛り。やや大柄のガッチリした身体、色黒、ギョロッとした目、鼻の下にみごとな髭をたくわえて、一見ごつい男だが、笑うと白い歯が浮いて、親しみの持てる顔になった。彼は金属を溶解する炉の職場の監督者である。溶解炉は床から一段高くなった段の上にあって、そこで働いている北見委員長のそばに立つと、鋳造工場の全体がよく見えるのだった。沢井は、北見といっしょに溶解炉の上に立って鋳造工場全体を眺めながら、溶解の職場だけでなく、工場全体から、しばしば会社全体に及んで話し合った。

副委員長、書記長の職場でも同様である。とりわけ小林書記長は九州出身で、旧福住機械とは関係ないが、沢井が博多で生活したことがあると知ると、急速に心を開いて話すようになった。彼は機械加工職場の監督者である。旋盤について作業をしながら、職場全体の監督者の仕事もこなしている。

「機械が動いているのに、こんな立ち話をしていていいのかね」

「今の機械はセットしてやればだいたい自分で動いてくれるんです。ときどき見て、手を貸してやればいいんですよ。社長もそんなことを言うようじゃ相当遅れてますね」

小林が笑って答える。委員長とは対照的に色白の、きゃしゃな感じの男である。三〇歳、新婚早々だった。

「子供さんはまだかね」

「社長、結婚してまだ四か月ですよ。そう簡単にできるもんですか」

「バカ言っちゃいけない。ハネムーン・ベイビーってのもあるし、おなかが大きくなってからの結婚式だってあるんだ。機械には強くても、そちらのほうは相当遅れているようだな」

こんな話をしながら、沢井は現場を歩く。歩くほどに、現場巡回の重要さが、沢井の心のなかで次第に意識されてきた。理屈では説明しがたい何かを沢井は歩くつど感じ始めていた。

沢井はみんなに自信を持たせ、明るく生活してもらいたかった。長年の赤字続きで、みんな自信を失っている。黒字になればたぶん一挙に明るくなるのだろう。しかし、その黒字に持っていくのに、みんなの心に自信と明るさを持たせることが必要なのだ。沢井はそう確信している。

以前に学んだことのあるTA（トランザクショナル・アナリシス＝交流分析）のストロークと

いう概念を、沢井は思い出していた。人間はそれぞれの人間関係のなかで互いにストロークを与えあっている。ストロークには、良いストロークと悪いストロークがある。母親が「ダメね、お前は」と子供を叱れば（悪いストローク）、子供は自信を喪失する。これを繰り返せば、子供は自分をダメな人間と思い、せっかくの能力を十分に伸ばせなくなる。逆に、「すごいね、やったねえ……」とほめれば（良いストローク）、子供は自信を持ち、ほめられた方向へどんどん成長していく。

現場を歩くとき、みんなに良いストロークを打ち込んでいこう。赤字のなかでみんなを明るくし、自信を取り戻させるためにはこれしかない、そう考えた沢井はそのための材料として、個人情報を集めてくれと井原課長に頼んでいる。以来沢井は一つでも二つでも多く、良いストロークを打ち込む気持ちで現場を歩いている。沢井にとって現場巡回は、今や手があいたからまわる程度の仕事ではなくなっていた。沢井の手帳のなかで、ときには現場巡回のために、会議を前か後にずらすことさえ起きているのである。

一方、社長面談のほうも精力的に進められていた。沢井はできるだけ自由に話ができるよう面談中はいっさいメモをとらなかった。面談が終わった時点で、

「いろいろ話し合って大変勉強になった。しかし、限られた時間のなかで、初対面の私の前で、君もすべてを話せたわけでもないだろう。今日話したこと、話してないこと、それらをすべてひっくるめて、メモでいいから何か紙に書いて、一週間以内に私に直接出してもらいたい」

と宿題を出している。

ある課長は、社長室を出ようとして、ドアのところでふり返って、

「社長、本当に本気で書いていいんですか」

真剣な声で聞いてきた。

「もちろんだ。君がこの会社を良くしたいと本当に思うなら、本当に本気で書いてくれ。私も本気だからこういう機会を持ったんだからな」

「わかりました。本気で書きます」

厳しい表情で出ていった。

その課長たちのメモが、沢井の㊙ファイルにたまってきている。もちろん沢井は熱心にそれを読んでいる。さまざまな問題指摘と意見が書きつらねてある。本気で書けず、何かを恐れて体裁をつくろっているものもある。しかし、それはそれでまた一つの情報である。これらのメモは、沢井がこれから進めようとする改革の貴重な情報源の一つとなるだろう。

それにもまして重要だったのは、このミドルとの個人面談が、お互いに相手を知り合い、その後、いつでも、どこでも、組織の本質的な問題について、沢井とミドルとの間で話し合えるきっかけになったことである。

九月二十日の給料日、沢井はデスクで自分の今月の給与明細表を見ていた。支給総額から所得税その他の控除額が並んでいる。その控除額の最後に「その他」という欄があって、そこには

「一〇〇円」と打ち込まれているのを見て、沢井は苦笑いをした、そしてあることを思い出していた。

それは赴任して初めての給料日の七月二十日のことである。出向後初めての給料を手にして、その明細表を見ていた沢井は控除額の最後の欄に「その他二八〇円」と打ち込まれているのに気づいた。金額はわずかだが、意味不明の控除なので気になった。総務課の給与計算を担当している女子社員を呼んで尋ねた。

「二八〇円のうち、一八〇円は社長がお飲みになっているお茶の茶碗代です。あとの一〇〇円はお茶の葉の代金です。お客様と応接室でお飲みになっているお茶は会社の費用ですが、社長のお部屋に朝、昼、三時に私どもがお茶を持って参りますが、その分は個人の費用として、一〇〇円いただいております」

松川幸子というその社員は、小柄な身体を固くして、何か弁解するようにおずおずしていた。彼女は途中入社ですでに一〇年以上のベテラン社員である。家庭に二人の子供を持ち、いつも眼がキラキラしている明るい女性である。その眼を伏せて、自分が悪いことをしているかのように答える。

「いやあ、よくわかりました。それで、この会社では昔からそうしているんですか」

「いいえ、三年ほど前に人の合理化を行なったとき、経費の削減ということでいろいろなことをしました、そのなかの一つです」

「そうですか。いや、ありがとう。よくわかりました。ご苦労さまでした」

部屋を出ていく松川の後ろ姿を見送りながら、沢井は唖然としていた。前任者からの引き継ぎのとき、赤字対応策として人員縮小と同時に経費の削減を徹底的に行なったが、残念ながら現在まで黒字にはできなかった、という話は聞いた。しかし、湯呑みからお茶代までとっているとは――沢井は、前任者の徹底したやり方に、それなりに感心させられた。

この七月二十日の記憶が、今月の給料の明細表に載っている「その他一〇〇円」のお茶代控除を見て、沢井の頭によみがえってきたのだ。あのとき、松川幸子はまるで自分が何か悪いことをしたように、おずおずと弁解めいた話し方をした。

そのときは沢井も赴任後間もなくで、彼女の人柄についてよく知らなかった。しかし日がたつにつれて、彼女が、そのキラキラしている眼のように心の明るい、何事にも前向きに取り組んでいく人だとわかってきた。その松川が二八〇円の控除の説明を、まるで自分が悪いことをしているように身を縮めて話した。毎月一〇〇円のお茶代を控除することが、はたしてプラスになっているのだろうか、と沢井の頭に疑問が生じた。

そういえば、管理職の給与カットを実施していると言っていた。沢井は引き継ぎのときメモをとったノートを取り出した。

人員削減措置と同時に部長級一〇%、課長級七%、係長級五%の給与カットを実施。しかし、当社の管理職の賃金ベースはこの地域の中小企業の相場より低いので、この給与カットは二年目には、係長級はカットなし、部長級七%、課長級五%のカットに修正されている。

沢井は、すぐ総務課から給与台帳を取り寄せた。取締役は一〇%カットされている。部長級と課長級のカット総額は四九万五六〇〇円。

月に五〇万円か。一年で六〇〇万円だ——沢井はつぶやいた。人員合理化前は年間二億円前後の赤字、合理化後の現在でも年に一億円以上の赤字を出している。そのなかの六〇〇万円を大きいとみるか、小さいとみるか。

それに当社の管理職の給与水準はたしかに低い。親会社の管理職と比較したら六〇％ぐらいであろうか。その低い給与のなかから七％、五％の金額が毎月カットされている。沢井が「その他一〇〇円」のお茶代の控除をみるように、当社の部課長たちは毎月給料をもらうとき、一万円から三万円以上に及ぶ控除をみているのだ。いや、それは沢井が一〇〇円の控除をみるのとはまったく違う。それでなくとも世間相場より低い賃金から、毎月これだけの額を引き去られるのを、彼らや奥さんたちはどんな思いで見つめていることか。

早く黒字にして、黒字になったら給与カットをやめよう、と沢井は今まで思ってきた。しかし、それでは黒字にならないんじゃないか。黒字になったらカットをやめるのではなく、カットをやめるところから黒字への道が開けてくるのではないか。松川幸子が身体を固くし、おずおずとするのではなく、あの眼のようにそのキラキラした本来の明るさを会社のなかで存分に発揮できるようにすること、押さえつけ萎縮させるのではなく、開放し、のびのびさせることで黒字への道が開けるにちがいない。

よし、来月からカットをやめよう。そして黒字になったら上積みしていこう。ただし、取締役は経営責任がある。今の一〇％を五％にして、これは黒字になるまで続けよう。

これは沢井にとって一つの賭けであった。大東金属の本社の管理部門に相談に行けば、「まだ大赤字のなかで、何言ってるんですか。そんな甘いことではますます赤字が大きくなるだけですよ」

と、一笑に付されるにちがいない。本社で長年仕事をしてきた沢井には十分わかっていた。やるなら親会社に相談しないで、つまり沢井の独断でやらねばならない。沢井のなかにあるサラリーマン根性が、リスクは避けろ、事なかれでいけ、と頭を持ち上げてくる。

昔、ST（センシティビティ・トレーニング）という体験研修のなかでつかんだことの一つが、沢井の心によみがえってくる。

「身を捨ててこそ、浮かぶ瀬もあれ」

浮かぶ瀬は、あるかないかわからない。ともかく身を捨てること。どうやら、今はそういうときらしい。

沢井は岡田常務と藤村部長を呼んだ。そこで自分の考えと気持ちを率直に話した。二、三のやりとりはあったが、沢井以上に大東金属の本社の経験が長い藤村が、意外に早く飲み込んだ。

「本社にバレたら私も責任問題でしょうが、もともと沢井さんといっしょにこの会社へ来たときから一蓮托生のつもりです。おやりください。みんな喜ぶと思います。そしておっしゃるとおり黒字への一つの原動力になります」

岡田常務のほうがむしろこだわった。しかし、それは沢井と藤村の立場を心配してのこだわりであった。その二人が強く主張したので、結局岡田も同意した。しかし、この件について、親会社から何かあれば、岡田も連座するだろう。岡田はそういう男であった。

この案はその週の部長会議に提案され、全員ただちに賛成した。おそらく沢井の赴任以来何回も行なわれてきた部長会議のなかで、もっとも積極的に賛成された初めての提案だ、と沢井は感じた。

その部長会議では、かねて検討を続けてきた十月一日付の新組織案が決定された。改正の要点は次のとおりである。

(1) 技術部、安全環境部の二部を新設する。

技術部は新製品、新技術の研究開発という将来への技術戦略的対応と、現状のライン部門の技術・技能の向上を支援する。

安全環境部は社内外の安全環境対策をいっそう強化する一方、明年四月スタート予定の小集団活動（QCサークルを軸とするが、もっと幅広い活動）のほか、社内全般の組織活性化の事務局業務を行なう。

(2) 各部課のライン、スタッフの機能と職務権限を明確にする。

同時に新組織が発足して当面各部各課にとくに重点的にどんなことを期待しているか（役割期待）を明らかにして、これを新たに任命される部課長たちに内示の折りに上司からしっかり伝える。

(3) 日常の業務は原則的に課長以下で決定、遂行し、部長以上は経営レベルの仕事に注力できる体制とする。

(4) プロパーの取締役三名は、従来以上の責任と権限のある職位について活動してもらうこととする。

(5) 管理職の人数を減少し、あわせて責任体制を明確にするため、代理職（次長、課長代理など）を原則的に廃止し、職位につかない管理職級の人びとは、スタッフもしくは作業職として働いてもらうこととする。その実現を含め、各課内の組織、人員のあり方は課長に任せる。

(6) 組織運営上のルール、心構えに関する簡単なとりきめを明文化する。

大要以上のような決定を行ない、人の配置も決め、九月二十四日に各上司から部下に対していっせいに内示を行なうこととなった。

赴任以来約三か月かけた部長会議の話し合いは、以上のような一つの結論を得た。組織改正という誰でも参加でき、かつその人の哲学が出てくるテーマをめぐって話し合いを積み重ね、その過程で自分がみんなを理解すると同時に、みんなに自分を理解してもらうという沢井の目的は、ある程度達成できた。

一方、その話し合いの結果としての組織改正の右記各項の内容は、一応のまとまりをみたものの、沢井や藤村にとってもっとも重要な点で不満を残したものとなった。それは(5)項である。

前にも触れたように、五〇歳を越えた各職場の名人芸的作業員たちが、管理職になり、事務所にデスクを持って「エライさん」になっている。そのデスクを廃止して、処遇は管理職のままだが、現場に出て作業についてもらう。そうすることで生産能力の実質的な向上をはかろうという沢井や藤村のねらいが、部長会議のプロパーのメンバーの強い反対に会って、実現できなかったことである。

各課のなかの組織と人員のあり方は課長に任せるという決定は、課長に大幅に権限を任せた進歩的なやり方のようだが（もちろん、(3)項の内容とあわせてそういう意味もあるのだが）、その裏には、こういう名人たちを現状のまま温存して、彼らの反感を買わないようにしようとする配慮があった。また、定年までには事務所に入ってエライさんになりたいという彼らの願望に便乗して、彼らを管理職にし、かなり高額な残業手当をカットして人件費の削減をはかった出向経営者に対する、プロパー経営者の反感もあった。

これはもう合理的な論理の問題ではない。出向者に対する長年のさまざまな反感がこの一点に凝集した、怨念めいた感情の問題でもあった。部長会議の議論をいくらか積み重ねても解決するものではなかった。これが解決できるのは、出向者の代表である沢井や藤村を、プロパーの人たちが全面的に信頼し、心を開いて安心して接してくれるようになったときであろう。

そう考えればわずか三か月足らずで、まだいうべき実績を何も作り上げていない現段階で、そこまで望むのは無理なのであろう。しかし、一年かせいぜい二年という期限をつけられている沢井や藤村からすれば、この(5)項の裏の意味はまことに残念であった。

九月末のある日、組織改正の細かな詰めを藤村部長としているときのことである。藤村がふと仕事から離れて沢井にたずねた。

「社長、かなりお疲れになっていませんか」

「え、どうして……」

「最近顔色があまりよくありませんし、赴任したころに比べると少しやつれたように見えますが」

「そうか、やっぱり外から見てもわかるかねえ。実は先月の末ごろから、日曜日に朝だんだん眼がさめなくなってね。この間体重を計ってみたら三キロほど減っているんだ」

「そりゃ、よくないですね」

「うん、家内も心配しているようだ」

「通勤に片道二時間半。やっぱり無理なんですよ」

「うん、まあ……」

「私は、家がこっちのほうで、親会社に通っていたときより楽になったんですが、社長はだいぶ遠くなりましたからね。どうですか、前にも申し上げたとおりこの近くに部屋を借りて、遅くなるときはそこに泊まるようにされては」

「うん、それを考えたこともあるんだが、会社の出費になるしね」

湯呑み茶碗代一八〇〇円、お茶の葉代一〇〇〇円が沢井の頭をかすめる。

「そんなこと言ったって、社長の身体には替えられませんよ」

「うん……」

「そうしてください。総務で適当なところを探します」

煮え切らない沢井に、藤村は強引に押しつける。

「うん、じゃ、一応あたってもらおうか。しかし、探すなら条件がある。第一にこの会社から歩いて通える範囲であること。第二に岡田常務も片道二時間あまりかけて通ってきている。彼も必要なときにはそこに泊まれる部屋があること。つまり、2Kか2DKのアパートであること。第三に建物はボロでもいい、どうせ泊まるだけなんだから。何よりも家賃が安いこと。この三つの条件であたってみてくれないか」

「はい、早速」

赴任以来三か月、往復五時間の通勤時間を含めて、沢井は自分の時間のほとんどすべてをこの会社に注いできた。その努力のある意味での総決算が、十月一日からの新しい体制である。

すでに触れたように、⑸項の、管理職の一部作業員化による生産能力の実質的向上は、実現できなかった。しかし、この現実的な問題とは別の視点で、一番肝心なところを沢井は押さえていた。

それは安全環境部の新設である。部長には大島取締役工務部長をあてた。彼は大学出の技術者だが、下町生まれの人情味のある男である。趣味多彩でセンスもよい。アイデアマンである。

その下の課長に、東京営業所長の和田貴也を引き抜いてきた。大学出の人事労務系の事務屋だが、三年前の合理化のとき営業に回された。温厚な人柄で、かつて人事を担当していただけに、社内の人間によく通じている。現場の作業員たちともよく対等に話し、ホンネの情報をつかんでくる力を持っている。

この二人を使って、十月から太宝工業の組織の活性化に本格的に取り組もうと、沢井は考えていた。つまり、沢井にとって、ここまでの七、八、九月の三か月は序論、これからが本論なのだ。

藤村部長が話を持ち出してくれた宿舎にも、誘えば社員たちが遊びに来てくれるかもしれない。一升瓶をなかにして、夜じっくり話し合う場ができる。こうして昼も夜も沢井が太宝工業の組織活性化に取り組む体制が、十月から整うこととなる。だから、これからが本論なのだ。

そう思いながらも——すでに三か月という年月が流れた。あとこの三倍の時間が流れたら一年なのだ。それだけの時間で、この赤字の連続を黒字の流れに変えられるのか、という不安も湧いてくる。

沢井のそんな心の動きに関係なく、時は容赦なく流れていく。

ピーンとくる「共通の目的」

沢井社長が打ち出した「オレがやる、協力する、明るくする」の三つの方針は、経営のなかでいかなる位置づけにあるのだろうか。また、方針の浸透にはどのような努力が必要なのか。この項では、沢井社長の頭にあった「組織の三要素」、つまり、①共通の目的、②貢献意欲、③効果的なコミュニケーション(注4)を手掛かりに検討してみよう。

組織とは、一人では不可能なことを、二人以上の人間の強みを使って可能にする仕組みだが、太宝工業の状態はひどかった。みな無気力・無表情で、まるで、活力を失った烏合の衆(目的も規律もないカラスの群れ)のようだった。そんな会社をどうやって黒字にするというのだろう。そのために、まず必要なのは、共通の目的を持つことである。太宝工業の場合は、「安定的な黒字状態を実現し、みんなが安心して働ける会社にすること」だ。それはみな、頭ではわかっているが、目的実現に向けた「貢献意欲」が高まらない。それこそが太宝工業の問題点であると、沢井社長は考えた。

目的の実現に向け、具体的に何をするのか

貢献意欲を高めるには、目的の実現に向けてどんな行動が大切なのかを明確に示すことが必要である。沢井社長はそれを、「オレがやる、協力する、明るくする」の三つとした。一人ひとりが当事者意識と連帯感を持ち、前向きな努力をしよう、そうすれば黒字化が可能になる、というのである。

しかし、方針が示されても、人びとの貢献意欲が自動的に高まるわけではない。リーダーが「貢献しろ」と命令しても、朝礼で唱和しても、プリント物を配布しても、そう簡単に動かないのが人間である。

社員を動かすためには、さまざまなコミュニケーションが必要であり、それなしに、方針がひとりでに機能するなどということは稀である。

コミュニケーションは、感情を含めた人間の意思や思考、さらには仕事に必要な情報の共有化のための手段であり、経営のありとあらゆる場面で必要となるものである。近代組織論の祖、チェスター・バーナードも、「組織の構造、広さ、範囲は、ほとんどまったく伝達技術によって決定されるから、組織の理論をつきつめていけば、伝達が中心的地位を占めることとなる」(注4)と指摘する。

では、方針の共鳴に向け、リーダーはどんなコミュニケーションをすればよいのか。

第一は、方針の「意味と必要性」をていねいに説明することだ。そして、正しく理解されたかどうかの確認を取ることである。それを「論理の次元のキャッチボール」と呼ぶ。うまく行けば、理屈としてはよくわかったという納得感が得られるだろう。

論理による納得を求める気持ちは、人間らしさの発露のように思われる。以前、混み合った電車のなかで、泣き叫ぶ小児を見かけた。「静かにしなさい！」とお母さんに叱られても、なおかつ執拗に泣いている。ところが、「みなさんに迷惑かけないようにしましょうね」と優しく諭すお祖母さんのひと声でその子は泣くのをやめたのだ。それは優しさへの条件反射もあるかもしれないが、それ以上に「わけを知れば納得できる」という人間の本能的な欲求がそうさせたにちがいない。たとえ、幼子でも、論理による納得を欲している。ましてや、大のおとなは……と考えるのが自然である。

心情面への働きかけ

論理による納得感と並行して、心情面への働きかけも不可欠である。一見、冷静沈着で強気を装う人たちも、実は感情の世界に生きており、お祖母さんが孫に抱く優しさや愛情を、さらには承認をも求めている。

だから、沢井社長は三方針に込めた自分の思いを朝礼で、ていねいに、かつ真摯な態度で、ときにはユーモアも交えて社員に語る。現場巡回では、言葉の背後にある感情を汲み取って、「そうか、ありがとう。しっかり聞いたよ」と共感の合図を相手に送る。それらはみな、心と心をつなげるコミュニケーションの努力である。

そんな沢井社長でも、ときには正論のゴリ押しで失敗する。「値上げの努力をすべし」と営業の高野部長に迫る場面である。それは論理と社長権限を用いた強引なコミュニケーションであり、高野部長も渋々ながら同意はするが、値上げに伴うリスクの対応策や顧客の説得手段が見えない不安と、一方的な押し付けに対する反発とがあいまって、心からの納得には至らなかったのだ。感情のすれ違いが起こるのが人間関係の常であり、そこがすっきりしない限りやる気も出ない。心情的共感を得るためには、「感情の次元のキャッチボール」が欠かせないのである。

行動による語りかけ

方針の浸透に向け、論理と感情の両面への働きかけをしっかりやることが基本であるが、さらにもう一つ、行動によるコミュニケーションも必要だと沢井社長は考えた。

コミュニケーションの主流は、「話す・聴く・書く」であり、それは言語を介して成立する。その一方で、言語以外のコミュニケーションも無視できない。感情面のキャッチボールのかなりの部分が、無言の会話で占められているからである。仕草や雰囲気から相手のメッセージを感じ取る、言語で伝えきれない思いやイメージは行動で示す。それらはみな、非言語によるコミュニケーションである。

沢井社長も、「オレがやる」という方針を自らの行動で説明しようと努力した。臨時の部長会を仕掛けたり、社長の現場巡回を習慣化したりの行動である。その行動から、働く人びとは方針の意味と必要性をより深く感じ取り、「オレもやらなきゃ」と刺激を受けたのだ。

行動による訴えは、時と場合によっては、言葉の何倍もの効果を発揮する。ただし、言語による働きかけがあってこそ、無言の語りも生きてくる。その関係を忘れないことが肝要である。

コミュニケーションには「場」が必要

コミュニケーションは、「場」があって初めて成立する。沢井社長は、朝礼を重要なコミュニケーションの場として位置づけた。月に一回約十五分、経営課題の共有化を目的に、組織が定めた公式のコミュニケーションの場が朝礼である。その有効活用に向け、言葉を厳選し、ストーリーを組み立てる。頭のなかで、何度もリハーサルを繰り返す。そういう準備に裏打ちされた朝礼だから、聴く人の心に響くメッセージが発信できたのだ。

しかし、朝礼に限らず、フォーマルな会合では、時間の制約と建前優先の規範に縛られて、どうしても一方通行の会話になりやすい。ホンネも語られにくい。また、国会の本会議のように、儀式にならざるをえない会議もあるだろう。そこで必要となるのがインフォーマルな場の助けである。

その主な場を、沢井社長は職場巡回と心に決めた。毎日午後から現場に出向き、よもやま話をするなかで、三方針の浸透度合いを肌身で感じ、現場のホンネに耳を傾ける。同時に、自己開示も試みる。そういう努力に相当の時間を使ったのである。

インフォーマルなコミュニケーションと言えば、飲み会を連想するかもしれない。たしかに、沢井社長も飲み会が好きだった。しかし、職場には飲めない人もおり、その種の会合に嫌悪感を抱く人もいないとは限らない。だから、飲み会以外の工夫が必要であり、それを沢井社長は職場巡回に求めたのである。

――注4　『新訳 経営者の役割』（チェスター・バーナード／ダイヤモンド社／一九六八年）

解説ノート3

9月をふり返って

働きがいの実感

沢井社長が、コミュニケーションの次に打った手は、従業員の「働きがい」へのアプローチである。

働きがいを、「仕事の結果やプロセスがもたらす〝ハッピー感〟であり、かつ〝やる気の源泉〟となるもの」と定義して、沢井社長の頭にあった働きがいを概観してみよう。

働きがいの一番は金銭的報酬

大多数の人間にとっては、働きがいの一番は金銭的報酬だろう。報酬が強制的に減額されたら、誰だって不幸な気分に沈むだろうし、とくに、もともとが低賃金の場合には、死活問題に発展しかねない事態である。そこで沢井社長は、親会社に内緒で、管理職の賃金カットを中止する。もしバレたらただでは済まないが、最終的には保身を捨てて覚悟のうえで決断した。

この決断がもたらした効果については次章以降に譲るとして、管理職が奮い立ったであろうことは想像に難くない。きっと、「歴代の出向経営者は俺たちの首を絞めにやってきた。賃金カットにとどまらず、お茶の葉代まで天引きした。それに引き換え、沢井社長は自分の首を賭けてまで俺たちに尽くしてくれる。この人はほかの人とは違う……」と心底思うであろう。

人間はストロークを欲している

前述のように、金銭的報酬は働きがいのなかでも大きな部分を占めてはいるが、もちろん金銭とは別の、精神的報酬という働きがいも存在する。

沢井社長が重視した精神的報酬はストロークである。ストロークはTA（トランザクショナル・アナリシス）の主要概念であり、「ほかの人の存在を認めるための行動や働きかけ」を意味している。(注5) 平たく言えば、「関心と愛情の合図」である。

合図の仕方は肯定と否定の二つがあるが、沢井社長は前者を「良いストローク」と呼び、後者の何倍もの分量の打ち込みを実践した。もらえば即座にハッピーが味わえて、なおかついくらあっても足りないのが肯定的ストロークの特徴だからである。

その一方で、時として、叱るなどの否定的ストロークも必要である。しかし、それはもらった相手にとっては耳痛く、心も痛むものであり、乱発すれば「悪いストローク」に変化する。最悪の場合は、ディスカウントの感情（この人は自分に関心と愛情を持っていない）を抱かせてしまう。だから、否定的ストロークの分量は少なめがいい。肯定と否定とのバランスは、九対一程度に保つのが理想である。

承認欲求は絶対に外せない

人間は贅沢な生き物であり、他者から関心と愛情をもらうだけでは満足しない。それに加えて、承認欲求の充足も熱望する。「重要な人物として認めてほしい」「一目置かれたい」、あるいは「認められることによって自分に自信をつけたい」などが承認欲求であり、充足されると、大きな喜びが湧いてきて、やる気も高まる。

協力会社の梶原社長が朝礼で感動したのも、承認欲求が満たされたからである。これまで協力会社は一段低く見られてきたが、沢井社長は違う。価値ある存在として認めてくれ、期待もかけてくれると、梶原社長の心が反応したのである。

また、「定年までにエライさんになりたい」という現場作業員の願望も承認欲求であり、無視すれば、彼らのプライドは傷つけられ、モチベーションも低下してしまう。

ここで注意が必要なのは、認める材料のない人に対するアプローチである。どうしても、成績の悪い者や努力不足の人たちには、承認よりは叱責の言葉が先に来る。しかし、どんな人間にも承認欲求がある以上、リーダーには、叱責を上回る承認の努力をしてほしい。メンバーの強みを探して、強みに磨きをかけるよう激励し、「こうすれば、もっとうまく行くのじゃないか」と弱みの克服方法も提案する。そのようなリーダーの期待を、粘り強く伝え続けることが大切なのである。

自ら取りに行く働きがい

上述の「金銭的報酬、ストローク、承認欲求」は、重要な働きがいであるが、どちらかというと他者から与えられる働きがいである。それ以外に自ら取りに行く精神的報酬という働きがいもある。九月の物語では詳しく触れてはいないが、沢井社長はそれを以下のように捉えていた。

一つ目は責任感である。役割をまっとうしなければという前向きな思いが責任感であり、それに支えられた心地よい緊張感を持つことも働きがいの一つである。

二つ目は俗に言う「腑に落ちた」という感覚であり、それを納得感と呼ぶ。仕事のなかに、論理と感情が融合した納得感があるならば、やる気も高まるというものだ。

三つ目は仕事の面白さである。とくに、考える面白さには醍醐味がある。考えて考えた末に、「あっ、そうだ」という気づきや発見に巡り合う。また、「やったぁ」という達成感も、仕事の面白さの代表例である。達成感を得るためには「目標」が必要であり、難度の高い目標ほど達成時の喜びは大きなものになる。

四つ目は、自己成長の実感だ。アンケート調査などでは、圧倒的に多くの人たちが「働きがいとは自己成長」と答えている。「うまくできるようになった」「自信がついた」などが成長の喜びであり、同時にそれは自尊心も高めてくれるだろう。

このような「能動的に手に入れる働きがい」の面積拡大が、沢井社長のマネジメントの究極の狙いである。三方針の「オレがやる」には、単なる自主性だけでなく、「取りに行かない限り入手不可能な働きがいを自ら取りに行く」という思いも込められているのである。

―注5 『新しい自己への出発』(岡野嘉宏、多田徹佑/㈱社会産業教育研究所/一九七七年)

第4章

会社は社員とその家族の幸せのためにある

【10月】——沢井社長の経営哲学

「今月からこうして食堂で朝礼をやることにしました。そのために食卓や椅子を運び出したり、取り込んだり、総務の人びとだけでなく現場のみなさんにも手伝ってもらうことになりましたが、『オレがやる』『協力する』で積極的にご協力いただき、ありがとうございます。

このように食堂で朝礼をやることにしたのは暑さ寒さやその日の天候に関係なく、多少でも良い条件で話を聞いていただけるようにするためです。また、みなさんの力を借りて食卓と椅子を外へ出したのは、こうすれば二〇〇名余りの人が入れるからで、今、そう、ざっと一五〇人ぐらいの人が出席されているけれど、来月からはぜひ全員が出席して、朝礼での話を直接聞いてくださるよう期待しています……」

十月一日の朝礼である。外は気持ちよく晴れ上がった秋空だった。出席者は毎月少しずつ増えて、沢井の目算では一五〇名を十分超えている。食堂のなかは壁で周囲が仕切られているせいか、戸外でやるときよりも集中して聞いている。沢井はやはり食堂でやるようにしてよかったと思いながら、このように話を切り出した。

そして例月のように、

(1) 八月の確定月次決算と九月の推定月次決算がいずれも赤字であること

(2) 今日から始まる下期予算が、四六〇〇万円の赤字予算であること。これを実施の段階で何とかトントンの線まで持っていきたい。そのためには①オレがやる、②協力する、③明るくする、の精神でみなさん一人ひとりが黒字にするための具体的な工夫や改善をしてほしいこと

(3) 今日から実施される新組織のねらい、その概要などについて説明した。

壇上でマイクを持って話す沢井に、みんながかなり真剣に聞いている緊張した空気が伝わってくる。少なくとも赴任直後の朝礼の雰囲気とは、かなり違ってきている。

この反応の変化は朝礼だけではなく、現場巡回でも感じられた。沢井が工場のなかに入っていくと、それまで腰を下ろして休んでいたり、二、三人で立ち話をしていた人が、遠くから沢井の姿を見るやサッと立ち上がったり、話をやめて作業にかかっているふりをする――そんな姿がこれまでは多く見られたが、最近はあまり見られなくなってきた。

そして何よりも沢井の掛ける声にふり返って挨拶したり、手があいていれば立ち話をする人が増えている。当初の警戒しあう気持ちが消えて、気楽な気分で接触できるようになってきている。沢井と作業員との間に心のつながりが少しずつだができつつあるのを沢井は感じ始めていた。

このような作業員との関係に比べると、管理職との関係は、この時点ではまだかなりぎこちない感じが強かった。社長、部長、課長、係長という公式の関係が先に立って、敬語が多用される言葉がその関係を象徴していた。ミドルとの関係を、打てば響くような関係にどうやって持っていくか。当面の大きな課題の一つがここにある、と沢井は思っている。

赴任以来継続しているミドルとの個人面談は、間もなく課長級を終え、係長級に入ろうとしている。もちろんこの個人面談以外に課長会議やその他の会議で接触があり、また現場巡回中にも作業員だけでなく、ミドルとの接触がある。

こういう接触を通じて、今沢井の心に感じられるのは、ミドルよりも組織上遠い位置にいる作業員のほうが近くにいるということだった。学歴があり、頭にいろいろ詰まっているミドルのほうが、一般に心が固い。作業員のほうが直截だ。心がドーンと通ずればＯＫ、一〇〇％信頼だ。しかしミドルは三〇％か、四〇％、五〇％を超えるかどうか。往ったり来たり、あっちを見、こっちを見、とつおいつ考えて、なかなか進まない。

この面倒なミドルと心が通じなければ、組織は変えられない。十月一日付で組織を変えて、一応新しい体制を形のうえでは作った。少しでも早くこれに魂を入れなければならない。沢井は十月一日の午後、課長以上の管理職を会議室に招集して、管理職の賃金カットを今月からやめることについて、次のように話した。

「緊急にお集まりいただいたのは、三年前の人員縮小措置以来続けられてきたみなさんの賃金カットの件についてお話ししたいからです。これは当初役員一五％、部長級一〇％、課長級七％、係長級五％のカットで実施され、その後係長級はゼロにして、役員一〇％、部長級七％、課長級五％に軽減されて、現在に至っています。

私は当社を早く黒字にして、黒字になったらこのカットをやめようと考えてきました。非公式ながら一部のみなさんにそういうことを話したこともあります。

しかし私は、この考えが間違っていることに気づきました。黒字になったらカットをやめるのではなく、カットをやめることによって黒字への道を開いていくのが本当だと考えたのです。

そこで先日の部長会議にはかったところ、みなさんの賛成を得ましたのでさっそく実施することにします。具体的には十月二十日に支給される給与からカットをやめます。

本来なら今までの三年近くに及ぶカット額をお返ししなければならないのですが、当社の今の力ではそこまではできません。つまり、過去の分は我慢していただきたい。そのかわり、将来それこそ黒字にしたら、この我慢分を是正する方向で、給与を引き上げることを約束します。ただし、役員は経営責任がありますので、黒字にするまで今の半分、五%をカットさせてもらいます。今日、私が申し上げたいのは以上です。何かご質問かご意見は……」

何の質問も意見も出なかった。が、集まっている課長級の人びとの心が、騒然と揺らいでいるのが感じられた。会議室から部屋に帰る途中で、藤村部長が沢井にささやいた。

「よどんだ池に大きな石を投げ込んだ感じですね」

「うん、かなり刺激があったようだが、さて、どんな波紋が広がるかな」

「これは、やって良かったと思いますよ」

「僕もそう思う。ところで、一時間ぐらい、今から時間がとれるかな」

「私ですか」

「うん、君と岡田常務に立ち会ってもらって、安全環境部にこれからの基本方向とその基礎になる考えについて話しておきたいんだ。だから君と岡田常務それに大島部長と和田課長だが、君以外の三人にはすでに話してある。君だけつかまらなくて今ごろになって悪いけれど……」

「いえ、大丈夫です。十分ほど待ってください。すぐうかがいます」

間もなく社長室に集まった岡田、藤村、大島と和田の四人に沢井は話していた。

「今日から安全環境部がスタートしました。大島君と和田君の二人だけの部だが、これからの当社の改革の成否を握っている重要な部門です。だから、今日新体制の発足にあたり、朝礼を行ない、課長以上の賃金カット廃止の話をしたあとすぐに、安全環境部に私の考えを話さねばと思って集まってもらったのです。

これから私が話すことは、実は私自身必ずしも自信を持っている内容ではありません。当社へ赴任して以来いろいろ考え、部長会議などで断片的にその考えを話したりしてきたものを、新体制の発足にあたって、根本的に整理してみたものです。つまり、私は、これから私の哲学を話してみたいのです。それは当社の経営理念となり、今後の改革の基本をなすものです」

岡田常務以下四人は緊張して聞いている。和田課長に至ってはコチコチだ。

「やあ、あまり緊張しないでください。話しにくくなってしまう。哲学などと言ったけど、中身はそんなに大それたものじゃない。だいいち、世の中にはいろいろな考えがあるんだし、私も自信を持って話すわけじゃないんだから、質問や意見があったら、私の話の途中でもかまわないから、どしどし発言してください。いいですか。

まず、私は、会社のために滅私奉公せよという考えを社員に押しつけるのは間違いだと思っています。人間が会社に従属するのではなく、会社が人間に従属すべきだと考えているからです。

この自明の理が意外と理解されていない。そういう私自身が若いときからホンネでそう思いながら、それを公式にしゃべることはなかなかできないで来たのだから。

しかし、ここが肝心なところなのです。ここで間違えると私の考えはまったく理解できなくなってしまう。だから、くどいようだが、ここのところを詳しく話させてもらう」

沢井はひと息ついた。あいかわらず、みんなはかなり緊張して聞いている。

「楽に聞いてくださいよ。いいですか。会社というのは社員数が何百人、何千人あるいは何万人という大きな会社もある。それに対して私は一人。また、時間的にも一〇〇年、二〇〇年の歴史を持つ会社がある。それに対して私は五〇歳。若い人は三〇歳、二〇歳。つまり、規模からも寿命からも、私より会社のほうが大きい。だから何となく私という個人が会社に従属するのが自然のように思われてくる。

ところが、私は人間だ。人類だ。人類の歴史は何千年、何万年だ。そして今地球上に何十億の人間がいる。これに比べたら、何万人の規模の会社、一〇〇年、二〇〇年の歴史の会社といったって小さなものだ。

だいいち、会社という制度は、一六〇〇年頃のイギリス、フランス、オランダの東印度会社設立以来たかだか四〇〇年の歴史を持った一つの社会システムにすぎない。つまり、会社というものは、人類をより幸せにするために、人間によって作られた一つのシステムなのだ」

岡田、藤村、大島の三人は部長会議の論議のなかで、沢井の考えやこんな話し方にもたびたび触れてきたので慣れていた。しかし和田課長はかなりショックを受けているようで、その丸い顔が緊張している。

「今、私は人類をより幸せにするためにという言葉を使ったけれど、人類の一人である私――沢井正敏という人間にとって一番大事なのは、私が幸せになることだと思っている。私にとって私と、私の家族がもっとも大切な存在で、それをより幸せにするために一つの手段として会社というものがある」

「ちょっと、よろしいですか」

藤村部長が口をはさんだ。

「うん、何か……」

「あの、私も、私と私の家族が大切だと思っています。しかし、それだけでは利己主義になってしまうのでないですか」

「うん、そのとおり、これだけでは利己主義になってしまう。その自分と自分の家族が大事だということを前提として、となりの田中さんも中村さんも、それぞれが自分と自分の家族が大事だと思っているということを、自分の重みと同じ重みで感じなければならない。ここが二番目に肝心なところなんだ。そう考えることで、私も、田中さんも、中村さんも……つまり何十億の人間の幸せのために会社という制度があるという認識につながっていく」

「なるほど、自分と同じ重みで感じる、ですか」

大島部長がうなずきながら言う。

「さて、次は、その人間の幸せということだが、何が幸せかは人によっていろいろだろうが、共通していることは、それぞれの人生においてその幸せをつかむということだ。つまり、私の幸せは、私の人生が幸せであるかどうかということだ。そして私の人生とは、具体的には毎日毎日の二四時間という時間だ。この時間のなかに私の幸せがなければならない。

ところで会社での時間は私の人生、つまり私の時間のなかの過半数を占めている。だからもし私が会社以外のプライベートな時間で幸せであっても、過半数を占める会社の時間が幸せでなければ、私は貧しい、不幸な人生を送っていると言わざるをえない」

「ふうむ。ちょっと言わせてください」

ことわって、大島部長が話し始めた。

「私的なことを申し上げて申しわけありませんが、私は親譲りの家に住んで住宅にお金を払っていませんから、経済的にはまあまあやっていけます。家内との関係もうまくいっていますし、二人の子供も問題なく成長している。私は絵が好きで、下手の横好きですが、休日にはよく絵を描いています。つまり、言いたいことは、私はプライベートな面ではだいたいにおいて満足しているということです。それにもかかわらず、会社のことを含めると決して満足していない。幸福感がなくなってしまう。そういう感じが、今の社長のお話で、なぜそうなのかわかった感じがします」

「初めに言ったように、私も自信を持ってこの話をしているわけではありません。だから、そう言ってもらうと、私の考えを裏づけしてもらったようで大変心強い。

その心強くなったのに乗じて話を現実に戻すと、太宝工業株式会社は、私以下一七〇名の社員と四つの協力会社の六〇名、計二三〇名の社員とその家族の方々の幸せのためにある。お客さまや地域社会、その他組織の外との関係もあるが、当社の存在理由の原点はそこにある。

ではこの二三〇名とその家族たちは今幸せか。残念ながら、ノーです。彼らは当社のなかでいきいきと生活していない。のびのびと力を発揮していない。従来、社員は会社に滅私奉公せよ、残業五〇時間やっても二〇時間だけ要求して、あとは会社にサービスしろ、給料をカットしてその分コストを下げろ、会社は苦しいのだから何事も我慢しろと押さえつけた管理をやってきた。だから会社は、社員にとって魅力のない場になってしまった。能力発揮どころか、ちぢこまって息の詰まりそうな、嫌悪すべき場になっている。

そうじゃないんだ。会社は人間にとって単に仕事の場であるだけでなく、その人の人生の重要な場なんだ。そう考えることで視野が拡大する。

つまり、人生の場なら、仕事だけではない。勉強の場でもあり、遊びの場でもある。会社の場、会社の時間を単に仕事だけでなく、もっと多面的な、柔軟な場や時間として実現していく。そうしたらたぶん、人間はいきいきとし、のびのびと力を発揮するのではないか。その結果として会社の業績は良くなり、赤字が黒字になっていくのではないか……」

沢井はニヤニヤ笑いながら、

「どうも黒字に必ずなると言い切れないところが弱いんだが、まあ僕は僕なりに一所懸命に考えたんだ。自分で言うのもなんだが、割にうまくしゃべったように思うが……」

「要するに太宝工業の組織を、仕事だけでなく。勉強も遊びも含めた生活の場にしよう。それが太宝の組織の活性化で、安全環境部はその事務局をやれ、ということなんですね」

大島部長が浅黒い顔を紅潮させて言う。

「そうだ、それを言いたかったんだ。そのために具体的に何をやるかを考えるのが、安全環境部の仕事だ。和田君、君はどう思うかね」

「はい、どうも今までとだいぶ違う考え方なので、理解するのが精一杯というのが正直のところです。そして……」

「うん、そして、どうしたね」

「こんなことを言ってよいのかどうかわかりませんが、私のような者を社長から直接こういうお話をうかがう場に出していただいて、おそらくこんなことは当社始まって以来のことと思います。また、現場を社長が一人で歩いてあちこちで話をされている。これも過去になかったことで、働いている人たちは大変励みになると喜んでいるのがチラチラ聞こえてきます。こういう社長の行動が、今のお話をうかがって、なるほどとわかった感じがします」

「和田君は重要なことを言っていますね」

藤村部長が言った。

「つまり、だいたい良い方向へ進みつつあるということではありませんか」

「それは私もそう思います。和田君が今言ったようなことは、現場を担当している私の耳にも入ってきています」

岡田常務が初めて口を開いた。

「では、今の話はだいたいのところご理解いただいたとして、こういう考えを基礎として具体的にやりたいと考えていることをお話したい。

第一に、簡単なものでよいから、早急に、というより来月の十一月一日の朝礼後に第一号を配布できるように、社内報を発行したい。

第二に士気を盛り上げるために、あるいは明るくするために、何かイベントというか、お祭りを企画してもらう。

第三にミドルの合宿研修会を検討してもらう。

第四に、たぶん来年の春から実施ということになると思うが、監督層以下のところで小集団活動を展開したい。

以上についての勉強、検討に早急に取りかかってもらいたい。また、これからの件については藤村部長と相談して総務の力を借りるように。藤村君、頼みますよ」

「結構です。バックアップします」

藤村、大島、和田の三人が出て行った後で、一人残った岡田が言った。

「今のお話に私は大賛成ですが、どうも、勉強不足で、むずかしい議論は苦手で申しわけありません」

「いや、いや、あなたは私にはない現場の力を持っているのだから、そんなことを気にすることはありません。私はなかなか手がまわりませんので、日常のルーティンをがっちり見てください。あなたを信頼して、私は勝手に飛びまわりますから……」

「はい、存分におやりください」

十月一日という日は、沢井にとって重要な一日となった。

それから数日の間、沢井は多忙をきわめた。新しい組織が意図した方向へ動き始めるかどうか、現場へ出ては注意深く見て歩いた。一方赴任以来続けていた管理職との個人面談が、この月の十四日に課長級をすべて終了し、引き続いて係長級の個人面談を開始した。

また、この月に沢井は二つの重要な提案を受けている。

そのひとつは森山加工課長の提案を岡田常務が持ち込んできたものである。

仕上課は十月一日付の組織改正で加工課となり、森山は加工課長になっていた。

その提案は、鋳物という重量物の原材料の仕入れから製造、出荷、ユーザーへの運送という全工程にわたって、物流という視点での検討、改善をはかりたいというテーマである。そしてこのように各部課にわたる問題は、関連する各課からメンバーを出してプロジェクト・チームを作って進めたいという提案であった。

この森山課長の提案に、岡田常務が親会社の物流管理室のスタッフにもメンバーになってもらってその援助を得たいという考えをのせて、沢井に打診してきた。岡田はすでに親会社の物流管理室長に電話で内諾を得ていた。

沢井は了承し、正式に部長会議の決定を経て、来年三月まで半年間、物流改善プロジェクト・チームを編成して推進することとした。ただし、来年の三月に検討結果をまとめて答申をし、四月以降に実施するという通常のやり方ではなく、部分的、個別的にでも成果ありと判断される改善策を得たときは、そのつど取り上げて実施していくこととした。

もう一つの提案は、藤村総務部長からのもので、かつて沢井が決裁した新積算方式を用いて、二〇〇〇種類を超える全製品のうち、主要な約八〇種類の製品についてコストを算出し、現在の販売価格と比較してみようという内容であった。

通常ならコスト計算を担当している経理を管轄している総務部がやるべきところだが、販売している営業部と製造する側のスタッフである技術部の両者からメンバーを出して、プロジェクト・チームを作ってやらせてみたい。もちろん、コスト計算のことだから、経理の援助が必要なときはいつでも経理担当者に応援させるという条件である。

沢井は、藤村と検討の結果、次のように進めることとした。

(1) 主要製品八十数種類の選択は、現状の売上高などだけでなく、その製品の将来性やその他の戦略的視点を含めた重点指向製品として選ぶ。それをもとにして三か年計画を作っていくこととし、その第一段階としてまず販売三か年計画を作る手がかりとする。

沢井と藤村は業績の悪い太宝工業を整理しに派遣されたのだ、という噂が二人の赴任以来流れていた。二人に組織内のホンネの声が次第に聞こえるようになって、最近わかったことである。何をやるにしても二人に対するこの認識が、プロパーの社員と二人の間に冷たく立ちはだかっているようなもどかしさを感じさせていた。三か年計画を作るということは、こういう認識を払拭する一つの手段となるだろう、と沢井と藤村は考えたのである。もちろんうまく黒字になったときのこの会社の将来への展望を作っておく意味でも、三か年計画は必要であった。

(2) 重点指向製品検討プロジェクト・チームとして、営業部と技術部からメンバーを選んでプロジェクト・チームを編成すること。必要があれば経理担当者に援助してもらうこと。
(3) 計算した結果のコストを棒グラフで表わし、その横にその製品の現在の販売価格を棒グラフで比較して、その商品がどのくらい利益を上げているのか、逆にどのくらい損失を出しているのかが一見してわかるように、一品一葉のグラフで表現すること。
(4) グラフができたらそのつど技術部長から部長会議に報告すること。

このプロジェクト・チームの活動結果は、沢井以下に大きな衝撃を与え、やがて達成される赤字脱却への原動力の一つとなるのである。

ところでこの月の中旬、井原総務課長の奔走で、アパートが見つかった。沢井が注文したとおり、会社から徒歩十五分ぐらい、木造モルタル二階建ての一階部分である。六帖二間に台所と風呂、トイレ付きで、何よりも家賃が安い。一階で陽当たり悪いが、沢井も岡田も退社後翌朝までの時間を過ごす場所だから、どうということはない。早速若干の生活用品を持ち込んで引っ越すこととした。

次の日曜日に引っ越す予定にして、金曜日の午後沢井は現場を巡回した。溶解現場へまわっていくと、そこの監督者であり、労組の委員長でもある北見が、近づいて声をかけてきた。

「社長、アパートに引っ越しするそうですね」

「あれ、もう知ってるのか。早耳だな」

「そりゃ、当社のなかで起こることは、社長もよく知ってるけれど、私も委員長ですからね。ハ、ハ、ハ……。　実はですね、あのアパートは私の家のすぐそばなんですよ。まあ、隣り組みたいなもんです」
「へーえ、それは知らなかったなあ。すると、つまり、なんだ。僕は別宅ができたみたいで、そのうちに二号さんでもおいてと思っていたが、君の眼が光っていてはそんなこともできないわけだ」

「そりゃダメです。そんなことをしたら、すぐわかりますからね。高いものにつきますよ」

「ハ、ハ、ハ……。ま、ともかくも、いろいろお世話になるけど、よろしく頼むよ」

「はい、任しておいてください」

こんなやりとりがあって、引っ越しの当日は沢井、岡田と藤村、井原がそれぞれ奥さんの応援を得て計八名のほか、北見委員長、釘本副委員長、小林書記長と労組三役総出演の手伝いで、男二人が必要なときにときどき泊まる仮り住まいのわずかな荷物はあっという間に片づいた。

あとは小さな食卓を中心にビール、酒とつまみで一杯が始まる。北見委員長の姿が見えなくなったと思ったら、奥さんと二人でそれぞれおでんを煮込んだ鍋を一つずつ持ってきた。北見の言うとおり、おでんを煮込んだ鍋を持って歩いて来られるほどの距離に、委員長の家があるのだった。

それからは、引っ越しなのか酒盛りなのかわからないようになった。

その酒盛りが始まって間もなく、沢井夫人が藤村夫妻に頭を下げて言った。

「藤村さん。このたびは、お部屋を見つけていただいて、ありがとうございました。この会社への通勤が始まってから、だんだん疲れがたまってくるのがわかって、心配していましたの。体重も減って、このままでは病気になるって子供たちまで心配して、何回もいろいろ言ったのですけど、この人、強情で……」

「いえ、赴任のときに部屋を手配すればよかったんですが、遅くなって奥さんにご心配をかけてしまい申しわけありません」

「いや、君が最初からそう言ってくれたのを、僕がしばらく家から通ってみるって断ったんだから……」

「藤村さんが脇からちゃんと見ていてくださるんだから、もっとみなさんの言うことをよく聞いてくださらないと……」

「わかった、わかった」

「沢井社長さんは、うちの主人の分まで心配してくださって、ほんとうにありがとうございます」

岡田夫人が頭を下げた。

「私はもう長いこと今の家から通勤して慣れていますから、この部屋に泊まって、社長のお邪魔をすることはできるだけ少なくしたいと思っていますが、仕事の都合で帰りが遅くなるときがありますので、そんなときには時折り泊まらせていただきます。ご心配いただいて、恐縮しております」

岡田が律儀に言う。

「遠慮しないで使ってください。この部屋は私、そちらの部屋は岡田さん。せっかく岡田さんの部屋も考えて、２ＤＫを借りたのですから」

「はい、ありがとうございます」

「それにしてもうちの息子と娘は、何だかんだと私のことを心配しているようなことを言いながら、肝心の引っ越しには手伝いに来ないのか」

「それはあなた、大学生の今の若い人に言うほうが無理ですよ。あなたのことを心配してくれるだけおとなになったことで満足しなければ」

「うん、二人とも中学、高校時代とはだいぶ違ってきたな」

「あら、そんなに変わるものですか」

藤村夫人とおでんを持ってきた北見委員長夫人がこもごも口を入れた。そこから夫人たちの子供の話が中心になって、男どもは脇に押しやられた。

が、いずれにしても、このアパートは、沢井の良い根拠地となった。

沢井はこのアパートに酒を用意しておいて、現場をまわるとき、

「今夜はアパートに泊まる日だ。よかったら何かつまみを持って遊びに来い。酒はいくらでもあるぞ」

と社員を誘った。

社員たちも、沢井ひとりの気安さもあって、何かぶら下げてはたずねて来る。このアパートは沢井にとって貴重なコミュニケーションの場となるのである。

十月十九日、気持ちよく晴れ上がった秋空の下を、沢井は工場を歩き回っていた。特品工場に入ろうとして、入り口の右側のレンガで囲った小さな花壇に眼がいった。野菊の黄色の蕾が大きくなり、今にもはじけそうにふくらんでいる。その向こうでコスモスの赤、ピンク、白の三色の花が揺らいでいた。

沢井の妻は長年お茶をやっている関係もあって野草が好きで、家の小さな庭にいろいろ植えていた。休日の朝、沢井が新聞を読んでいると、庭で妻の声がする。誰か来たのかと窓からのぞいてみると、妻がかがみ込んで、

「まあ、ちょっと眼を離しているうちに、こんなに伸びちゃって……。あら、蕾が出てきたわ。えらいわねえ。頑張ってね……」

などと植物を相手に話をしている。妻に言わせると、木でも草でも話しかけてやると良く成長し、良い花を咲かせるのだそうな。そんな妻の影響もあってか、沢井もいつの間にか植物が好きになっている。だから特品工場の入り口のこの小さな花壇の花は、今初めて気づいたのではない。

特品課で、男子に交ざって一つの機械を担当している辻栄子という沢井とほとんど同年の女性が、植物が好きなのであった。辻は自分の家の庭から季節の花を持ってきて、職場の花瓶にさして楽しんでいる。それだけではすまなくなって、工場の入り口の脇の舗装されていない部分に花壇を作ってしまったらしい。

辻は色白でふっくらした大柄な女性である。明るいが、もの静かに話をする。沢井は現場巡回の途中、彼女のところで花の話題を中心に雑談するのが楽しみになっていた。

その花壇に咲き始めた黄色い野菊と赤、ピンク、白のコスモスの花が、今日は格別まぶしく見えた。沢井は立ち止まって、しばらく花を見ていた。秋の陽差しのなかで花が揺れている。

それから沢井は工場に入った。真っ暗だった。沢井は動けなくなり、立ち止まって眼をパチパチした。ようやく慣れてきた眼に、工場のなかが暗く、汚れて見えてきた。そのとき沢井の頭にある考えがひらめいた。

――そうだ。工場のなかのあちこちに花壇を作ってみたら……。

巡回を終えて事務所に帰った沢井は、安全環境部に入って行くなり、ちょうどデスクにいた大島部長と和田課長に、この思いつきを話してみた。

「今も二、三か所に花壇があるが、これをもっと幅広く、当社のなかのあちこちに作ってみたらと思うんだ。もちろんこれは仕事ではないから、命令はできない。必要な道具や肥料とか球根などは会社で用意する。花壇を作って会社という生活の場を少しでもきれいにしよう、気持ちの良い空間にしようと思ってくれる人に操業時間外にやってもらう。来月の朝礼で呼びかけて、賛同してくれる人に自発的にやってもらおうと思うのだが……」

「ひょっとして、それは……『オレがやる』で……」

「いくら社長が要請しても操業時間外のタダ働きとなると、全員がいっせいに始めるということにはならない」

「そうですね。一人、二人と地面を耕す人が出てきて、それを見て協力する人が増えてくる」

「『協力する』だな」

「そして来年の春、花が咲けば……」

大島と和田がこもごも言った。

「そうだ。その花壇に花が咲けば、工場全体が明るくなる」

言いながら沢井はなぜこのアイデアがひらめいたのか、やっとわかってきた。

「花が咲くころ、会社も黒字になるといいですね」

和田がつぶやくように言う。

「さあ、そう調子よくいくかどうか……。だいいち、協力者が出てこないで、一つも花壇ができなかったなんてことにならんかなあ」

「そんなことは絶対ありません。いくつできるかはわかりませんが、五つや六つは必ずできますよ」

大島部長が顔を赤くして大きな声で言った。

「そうか。まあ、やってみる価値はありそうだな。じゃ、私は来月の朝礼でみなさんにお願いするから、あなた方は総務と打ち合わせて必要な準備をしてください」

「はい、さっそく準備しておきましょう」

営業がまとまった大きな受注をした。そのこともあって、製造現場が悲鳴をあげていた。受注残が次第に増加し、毎週の部長会議でも営業部長は製造側に噛みついていた。

製造側もそれなりの努力はしているのだが、各所にムダやトラブルが発生し、努力が成果に結びつかないでいるようだ。製造全般の総責任者である岡田常務と小倉製造部次長の、骨身を削るような働きぶりは大変なものであった。

「沢井君、あの会社は月に二〇〇トンやれば黒字になるよ」

赴任に際して大東金属のなかを挨拶してまわったとき、技術系の専務が言った言葉が妙に耳について離れない。目下のところ一三〇トンから一五〇トンというのが通常の実績だ。二〇〇トンというのは現状の三〇%から四〇%増しの数字である。なるほど現有人員、現有設備で生産・販売量が三〇%から四〇%増えれば黒字になるだろう。しかし一三〇トンからせいぜい一五〇トンで残業したり、公休出勤したり、バタバタやっているのが現実の姿だ。こんなことを考えていた沢井の頭にまた一つのアイデアが浮かんだ。

――そうだ。この工場の瞬間最大風速がどれくらいか、試してみよう。公休出勤も残業も精一杯やって、ひと月だけみんなに頑張ってもらって、現状でこの工場は月に何トン作れるのか、受注残がたまっている今がチャンスだ。

――十一月という月は、瞬間最大風速を求めて仕事を精一杯やってみる。その一方で花壇作りを要請し、遊びもやってみる。自分の経験でも、仕事の忙しいときに結構遊びもしっかりやっている。仕事だけでは厳しすぎる。遊びだけでは緊張感に欠ける。これを両方とも精一杯やることで充実感が出てくる。十一月はそういう月にしてみよう。そこからまたいろんなことが出てくるだろう。

瞬間最大風速と花壇作り、この二件は部長会議と労組にしっかり話して、みんなによく理解してもらわなければならない。それと来月の朝礼で、これをいかにじょうずに話して、十分に了解してもらうか。この話の仕方はよく検討しないとならないな。

沢井は、十月一日付の新しい体制を充実させることに、夢中になっていた。

第5章

がむしゃらに頑張って何トンできる?

【11月】――瞬間最大風速をつかめ!

十一月は一日が日曜日で、二日から始まった。その二日の朝、沢井は十分に考え、練り上げてきた朝礼の話を真剣に始めていた。

「今朝はみなさんにお話ししたいことが四つあります。いずれも重要な内容なので、若干時間が長くなるかもしれませんが、我慢して聞いていていただきたい」

前置きは短くして、沢井は次のように四点の話をした。

「第一に、九月に終わった上期の決算が、販売量九三六トン（月平均一五六トン）、売上高一三億二〇〇〇万円（月平均二億二〇〇〇万円）で、経常損益は九〇〇〇万円の赤字となったこと。

先月の朝礼で話したように、この下期の予算は四六〇〇万円の赤字で、これを何とかプラマイゼロ、つまりトントンの線まで持っていきたいとみなさんのご協力をお願いした。

昨日終わった十月の月次決算の見込みは、みなさんよく頑張ってくれて一七〇トン余りの販売数量、売上高二億六〇〇〇万円ぐらいにはいきそうだ。これは当社としてはかなりな数字で、みなさんのご努力にあらためてお礼を申し上げる。だが、損益の点ではやはり若干の赤字を見込まざるをえない。したがって目先のこの下期の状況も非常に厳しいと言わざるをえない。

次に第二として、幸いに営業の努力で受注はかなり確保できている。しかし製造がうまく動いていない。みなさんは一所懸命働いてくれているのだが、前期の月平均販売量は一五六トンだけである。私はかねがね二〇〇トンできたら確実に黒字になると思っている。現在受注残が次第に増加してきており、お客さまからお叱りを受けることが多くなった。営業部門は新規の注文をいただくどころか、お客さまへのお詫びに精力をとられている。この悪循環をどこかで断ち切らねばならない。そこから当社の黒字への道が開けると思う。

そこでこの十一月は製造に全力投球してもらう。残業、公休出勤もギリギリまでやってもらいたい。月末までに受注残をどれだけ減らせるか。また、当社は頑張ったら月に何トン製造できるのか。今月はみなさんの掛け値なしのトコトンの力をためしてみたい。つまり当社の現状における瞬間最大風速をつかんでみたい。みなさんの全面的なご協力をお願いする。

第三番目は、変なお願いだが、この工場の構内のあちこちに花壇を作りたい。現在三か所に花壇があって、秋の花が咲いている。

鋳物工場というのは仕事がらどうしてもきたなくなる。職場の整理、整頓、清掃はもちろんだが、それ以外に花壇に花を咲かせるぐらいの気持ちがあってもいいのではないか。

今から花壇を作って球根を植えれば、来年の春には花が咲く。花が咲けば、『オレがやる』『協力する』の三番目の『明るくする』になる。そうしたら、黒字にもなる。そういう思いを込めて、あちこちに花壇を作りたい。鍬とか肥料、球根など必要なものは総務がお渡しする。

ただし、これは仕事ではないから、作業時間中にではなく、昼休みか操業時間外にやってもらう。手当てはない。私のこの気持ちをなるほどと納得してくれて、それじゃオレがやってやろうという人たちに自発的にやってもらいたい。これは私からのお願いです」

沢井はここまで話をして、ひと息ついて、ゆっくりみんなを見回した。二〇〇名前後の社員で食堂はほぼいっぱいになっている。今まで静かに聞いていた人びとが、アレッという感じでざわめいた。となりの人と私語している者もいる。二番目に残業、公休出勤を精一杯やって、瞬間最大風速を見せてくれと言ったすぐその後に、昼休みや時間外に花壇を作りたいから協力してくれ、と矛盾したことを沢井は言ったのだ。どうなっているんだ、これは……と疑問を感じている人びとの雰囲気をあえて無視して、沢井は四番目の話をした。

「さて、最後に、四番目の話ですが、ご承知のように十月の組織改正で安全環境部ができました。この部が事務局になって、この朝礼が終わったところでみなさんにお渡しする第一号は、毎月一日の発行で、今月から『安全ニュース』という新聞を出すことにしました。今日お渡しする第一号は、ザラ紙一枚を二つ折りにした四ページの、手書きのものです。ゆくゆくはみなさんの原稿ものせて、当社のコミュニケーションの場の一つとしたいと思っています。よろしくご協力ください。初めにおことわりしたように、話が長くなりました。これで終わります」

沢井は今日は大きな石を投げ込んだ、と思った。話を聞いた社員たちは、とまどいながらも、かなり許容的だったように感じられる。しかしそれは沢井の独りよがりの受けとめ方かもしれない。いずれにせよ、今月はいっそう足繁く現場を歩いて、フォローしなければならない、と考えていた。

だからその日の昼休み、食事を手早く済ませて、沢井は早速構内を歩き始めた。秋空の下、あちこちで社員たちが早くもバドミントンやキャッチボールを始めている。いつもの光景である。沢井が近づいて、彼らの脇を通るとき、笑顔で挨拶したり、遠くの者は手を上げて親しみを表わしてくる。そういう一人ひとりに、沢井も同じようにサインを送りながら歩いていく。

東西に走る広い通路を東に向かって歩いて、裏門の手前の技術部の建物の近くに来たとき、沢井は鍬をふるって地面を耕している男を見た。技術部の栗山幸次だ。若手社員の勉強会のメンバーの一人だった。近づく沢井の姿を見て、

「やあ、ご苦労さまです」

栗山のほうから声をかけてきた。

「ご苦労さん。早速始めてくれたな」

「はあ、もともと田舎の農家育ちなのに、東京に出てきて結婚してから木造モルタルのアパート住まい。緑も花もない生活です。今朝の社長の話を聞いて、田舎を思い出したんです。で、ちょっと、やってみっか、と思いましてね」

「うん、結構だね。もう少し潤いがあったほうがいい」

「そうですね。少しガチガチしすぎていました」

「うん、そうだ。まあ、せいぜい立派な花壇を作ってくれよ」

「はい、やりますよ」

少し離れた場所で、技術部の社員たちがバドミントンをやっている。この人たちが栗山に協力して花壇を作るようになるのだろうか。沢井は微かに不安を感じながら、広い通路から脇道や裏道を歩き始めた。

結局この朝礼の日の昼休みに早速花壇作りに着手したのは、この栗山ともう一人機械工場の作業員で、元福住機械にいた杉原豊の二人であった。だがこの花壇作りの動きは急速に広がって、協力者が次々と増えていき、月末には二か所で完成したほか、七か所で工事中という状況になる

のである。

製造現場のほうでも変化が起こっていた。月末納期の注文が多いため、通常は月の前半の操業度が低く、後半に入ってから残業、公休出勤がぐっと増え、人びとの動きも忙しくなる。そこで月末の出荷が終わるとやれやれという感じで、翌月の初めから前半にかけてダラッとして、もう一つ締まらなくなる。この工場にはそういうパターンが定着していた。

ところが今月は、月初めの数日こそダラダラした感じがあったが、工場の空気は急速に締まってきた。沢井が朝礼でお願いしたことが直接の引き金になったのだろう。

だがその背後に、先月下旬の課長会議で、受注残一掃を目ざして十一月は当社の瞬間最大風速が何トンか試してみたい、と管理職に協力を要請しておいたこと、そしてさらに十月から課長以上の給与カットを廃止したこと、あるいは七月から続けている個人面談などなど、いろいろ実施してきたことの積み重ねが、やっと少しずつ具体的な形として変化をもたらし始めているように、沢井は感じた。

ミドルが動き出してきたのであろう。十一月は早くから、かなりの厳しさで工場が走り始めたのである。沢井もまた今月は外へ出る仕事を極力押さえて、現場の巡回に精力を注ぐこととした。

その間に、係長級の人びととの個人面談にも、かなりの時間をさいた。面談の当初のぎごちなさはなくなっていた。すでにお互いに気心もわかっていたし、話はかなりホンネを出して、しかも多方面にわたって繰り広げられた。だが「当社はなぜ赤字なのか。どうしたら黒字になるのか」というテーマが、依然として中心となっていた。

十一月十八日の朝、肌寒い曇り空の下を、アパートから歩いてきた沢井は、事務所の二階へ上がって、奥にある社長室に向かおうとした。社長室の手前の左側に総務部の部屋がある。ドアが開いて、井原総務課長が出てくるところであった。その井原の肩越しに、部屋の奥で衣冠束帯をつけた神主が椅子に腰かけているのが見えた。沢井は声をひそめて井原に聞いた。

「どうしたの、あの神主さん」

「今日は『ふいご祭り』でして、例年神主さんにお祈りをしてもらっております」

「ああ、ふいご祭りか。聞いたことがあるな」

「ご存知ですか。旧暦の十一月八日に鍛冶屋や鋳物屋など、ふいごを使う商売をしている者がやるお祭りです」

「それで、今日はどんなことをやるの」

「はい、総務部長と私が神主さんをつれて鋳造工場の炉の前で、お神酒を一本供えて、お祈りをしてもらいます」

「それだけ?」

「昔は社長以下参列してもう少していねいにやったんですが、あの人員削減と経費節減以来こんなことになっております」

「じゃ、私は今日出席しなくていいんだね」

「はい」

「それで何も連絡がなかったんだね」

「どうも、失礼いたしました」

「いや、連絡がなかったことを言っているんじゃない。ま、ともかく今日のところは従来どおりやって、終わったら藤村部長と安全環境部の大島君、和田君もいっしょに私の部屋へ来てくれないか」

「はい、かしこまりました」

ほどなく、社長室に集まった四人を前に沢井が話した。

「今朝井原君と廊下で会って、今日がふいご祭りだと聞いた。それを聞いたとき頭に浮かんだ考えがあるので率直に話してみたい。ご承知のように当社では約三年前に社員の二五％の削減をやり、併せて経費の削減を厳しく実施した。これはやむをえない措置だと思う。

しかしそれ以来三年、各所締めつけられる一方で、社員の気持ちがすっかりちぢこまってしまった。これでは能力発揮なんて口でいくら言っても、力なんか発揮できるものではない、と私は感じている。だからいろいろな形でこの締めつけをゆるめて、開放した雰囲気を作らなければならないと思う。オレがやる、協力する、明るくするという三方針もそんな雰囲気作りの方向づけだ。

そんなとき、今日のふいご祭りだ。私はしまったと思った。一年に一度のお祭りだ。あまりおカネはかけられないが、それなりに企画して、みんなで楽しみ、のびのびとする時間を持てばよかった。惜しいチャンスを逃がした。

今年はもうダメだから、来年には太宝工業のふいごの村祭りをやって、家族の方やご近所の人たちも呼んで、飲んだり食べたり、一日のびのび遊んでみたい。そんなことがこの萎縮した空気を柔らげ、開放するキッカケになる、と思いついたんだが、みなさんはどう思いますか」

「申しわけありません。私がそういうことに気づかねばならなかったのです」

藤村部長が固い表情で頭を下げた。

「いやいや、これは私ども昔から太宝にいる人間が気づかなければならなかったんです。とくに私なんかもともと祭り好きなんですから、すみません」

大島部長が藤村をカバーした。

「間違ってもらっては困る。私はみなさんを責めているのではない。私の思いつきが役に立つかどうか相談しているのです」

「いいです。私は大賛成です。今年は申しわけないことをしましたが、来年はひとつ、カネをかけないで、花壇方式でバッチリやりましょう。うちが事務局になります」

大島部長の発言にみんなうなずいている。

「よし、じゃ、来年を期待しよう」

一方、部課長からの提案事項が先月と同様に今月も数件出てきた。

その一つは藤村総務部長からで、部長会議の運営方法に関する改善提案である。定例の部長会議は毎週金曜日の朝九時から、沢井以下六名の取締役と一名の社員部長の計七名が社長室に集ま

って行なわれる。それぞれがいろいろな案件を持ち寄って、報告したり、検討のうえ決定したりしているのだが、

「どうも各人の理解の仕方が一様でないので、後で混乱が起こることがあるのです」

と藤村部長が言う。

「たった七名の会議でもそんなものかね」

「そうおっしゃるけど、社長にも責任があるんです」

「え、僕に？　どうして」

「社長は、議論していて結論を出すときに、ではこの件はそういうことにして、次の件だが……という言い方で進めていくことがあるでしょう」

「え……、うーん、そう言われれば、そういうことで……と言っているなァ」

「そういうこととはどういうことなのか、社長は社長なりにわかっているんでしょうが、あとは、私は私なりに、岡田常務は常務なりにわかっていて、そのなりにっていうのが少しずつ違っていることがあるんです」

「うん、それはありうる」

「そうでしょう。そこでそのへんを整理したいと思いまして」

「どんなふうに」

「まず会議開催までに、各自の持ち寄る件名を、私のところへ事前にメモで出してもらいます。その案件ごとに、報告か審議決定を要するのかの区別をつけてもらいます。これを私が整理して、

会議が始まったときに、本日は報告が何件、審議決定事項が何件とみなさんにお知らせします」

「うん、議題の整理だね」

「はい、その後、報告はよいとして、決定事項については結論をメモして、その場でみなさんの確認をとります」

「なるほど」

「会議終了後ただちに議題と結論をメモしたものをコピーして、各人に配って記録とします。改善といってもそれだけのことで、常識的にどこでもやっていることですが、どうも社長とか常務とか取締役などとエライ名前がつくと、会議のほうまでエラクなってしまうようですね」

「うん、そのとおりだね。私自身もいつの間にかエライ人になっていた。いかんな。こりゃ……いかんなァ」

「そういうふうに反省していただくのは大変ありがたいと思います。しかし私から社長を見ていると、赴任した当座に比べて、最近は社長が板についたというか、自信を持って、いや、情熱を持って社長の仕事に没頭しておられる。社長のその姿勢や情熱が次第にみんなに通じてきている、そういう感じがします。だからこのエライ人という面を反省して、そのついでに情熱まで消えてしまっては困ります」

藤村が珍しく熱っぽく話した。

「うーん、君の言うことはようくわかる。が、なかなかむずかしいことだね」

「おっしゃるとおりむずかしいと思いますが、部長会議については、機能的に考えていただいて……。実は、私以下総務部のなかで、今会議の能率というか生産性というか、そういう問題が出ており まして……」

「会議の生産性か。それは面白い。よく検討してみて、何からまくやれるようだったら、全社的なキャンペーンを張ってみたらどうかね」

「ええ、そんな考えで今検討しています。横道へそれましたが、では部長会議の件は……」

「うん、そういうことで」

「それですよ、それ」

「うーん、わかった。君のさっきの説明の方向でまとめてください」

「そうです。正確です。ハ、ハ、ハ……」

もう一つは加工、仕上工程にパレット管理方式なるものを導入しようという提案であった。森山課長が阿部鋳鋼課長と田村検査課長との協同で、岡田常務を通して提案してきたものである。阿部鋳造課長は十月一日付組織改正で鋳鋼課長になっている。

すでに森山課長との個人面談で触れたように、たとえば一ロット三〇個の製品が現在は台車に乗せられて鋳鋼課から加工課の仕上工程に入ってくる。ここでバリ取り、欠陥補修やその他の加工作業のために製品は台車から下ろされ、バラバラにそれぞれの処置を受ける。そして検査へまわって、何個かが不合格となり、再補修のため仕上工程に返される。再補修後さらにそのうちの何個かが再々補修となって、ふたたび仕上工程に返される。

こんなことをやっている一方で、毎日前工程の鋳鋼課から、別のロットがどんどん仕上工程に入ってくる。再々補修になったものは、新たに流れてきた別の製品の下積みになって行方不明となることがある。鋳物は重量物だから一度下積みになってしまうと、机の上で書類をパラパラとめくって探すようにはいかない。

一方一ロット三〇個の製品の納期がきて、出荷しようとすると一個足りない。出荷の担当者があちこち探すのだが見つからない。仕上作業は大部分協力会社の社員がやっている。彼らは一キログラム仕上げて何円という重量での請負賃金だ。だから仕上げが簡単でごろっと重量のある製品を好む。再補修、再々補修のような、手間ばかりかかって金にならない仕事はやりたがらない。再々補修のものが一個、別のロットの下積みになって見つからなくとも、彼らにとっては知ったことではないのだ。次々に流れてくる新しい製品をどんどん仕上げたほうが収入がいいのである。

納期がきて、営業マンから催促が入る。製造側は探すのを諦めて、特急で同じ製品を鋳込む。それもまた不良品ができると困るから、一個のため二個か三個を鋳込んで、一番出来の良いのをさっと仕上げて三〇個にして出荷する。

もっともそれまでお客が待ってくれなければ、とりあえず二九個を先に送っておいて、あとの一個のために二トントラックを走らせることもある。もちろんできるだけ他の製品と積み合わせをするのだが、状況によってはたった一個の製品を二トントラックで関西へ、ときには九州までも運ばなくてはならないことがある。

こういう問題を解決しようとして、森山課長らがパレット管理方式を提案してきたのである。

提案の内容は簡単なもので、木材でパレットを作り、一ロット一パレットを原則として仕上工程を流す。一ロット三〇個なら一枚のパレットに三〇個乗せて、たとえ一個の不合格品でも、一個だけを仕上工程に返すのではなく、三〇個全部をパレットごと戻すのである。

そして、このパレットに赤、黄、青の三色の伝票をつける。赤は納期特急コース。黄色は急行コース。青は普通コース。色でロットごとの優先順位を誰が見てもわかるようにする。

「とりあえずテストということで、木のパレットを一〇台ほど作って試してみたいと思います。予算外で恐れいりますが、パレットの代金を使わせていただきたいのです」

森山課長が恐縮そうに言う。現場で苦労してきた人間には、わずかでもカネを使うのは肩身の狭い思いがつきまとう。この会社ではこの思いがとくに強い。

「うん、わかった。それは結構だ」

沢井は大きくうなずきながら、質問する。

「アイデアにケチをつけるわけではないが、この程度のことが、なぜ今までにできていなかったんだろう」

「ハァ、実は四年ほど前に、私が思いついて提案したことがあるのです。しかし作業員たちが現状を変えるのを面倒がって、やる気になってくれませんでした。そのうちに人員削減になって、経費もいろいろカットされますし、上へ出してもどうせだめだと思ったもんですから」

「ふーん、それが今回なぜ提案できるようになったのかね」

「今週月曜日の昼休み、みんなに集まってもらって、仕上工程をもう少しスッキリできないか。

何かアイデアはないか……ってぶつけてみたんです」

「うん」

「そうしたら何年か前にパレットを使ったらという話があったなあと言う者がいまして。するとそれに乗って、うん、それそれ、あのアイデアはオレいいと思うよと言うのが出てきて、あれあれと思っているうちに彼らのアイデアとしてまとまりまして。じゃ、やってみるか。課長、あんた、社長のところへ行って金を少し使わせてくれるか交渉してこい、ということになったようなわけで……」

「君のアイデア、横どりされたわけだ」

「まあ、そういうことですが、今回つくづく上からの押しつけはダメだ、下の連中が納得したことしかできないんだ、と思いました」

「そりゃ、いい勉強だ。僕にとってもよい勉強になった。必要なだけパレットを作りなさい。君と僕の勉強代だと思えば安いもんだ。岡田さん、藤村部長に予算のほう何とかしてくれって話しておいてください」

「では、やっていいんですね」

「うん、やりなさい。そうだ、岡田さん。総務だけでなく、次の部長会議に報告しておいてください」

「はい、報告しておきます。ありがとうございました」

この方式は順調に運営され、その後、月を追ってパレットの数は増加し、工程の流れを早め、納期の短縮、コストダウンに大きく貢献することとなる。

先月から、こういう下からの提案が出てくるようになった。毎月の朝礼での話、オレがやる・協力する・明るくするの三方針の打ち出し、管理職との個人面談、現場巡回、そして新しい組織体制などなど、七月以来不安や迷いを一方に感じながら、手さぐりして積み重ねてきた努力が、こういう提案を生み出すようになったのであろうか。

今までも沢井の努力に対する反応はいろいろな形で出てきた。たとえば若手社員一二名の勉強会であったり、協力会社の梶原社長の言葉であったり、現場の社員の立ち話のなかの言葉であったりである。それらに沢井は励まされ、不安や迷いを押しのけて何とか今までやってきた。そして今は、単なる言葉ではなく、業績に確実に影響するであろう具体的な提案が、沢井のところへ上ってくるようになってきた。その提案の一つひとつが、沢井には単なる提案ではなく、お前を支持するぞ、オレもやるからお前もやってくれという組織のメンバーたちの心の声として響いてくる。

事態は明らかに良い方向へ動き始めているように思われる。しかし、この程度のことをしていて、はたして来年か遅くとも再来年に黒字にすることができるのだろうか。

現にこの上期は九〇〇〇万円の赤字だった。下期もどんなに努力しても数千万円の赤字は避けられまい。一年間で一億数千万の赤字だ。

落差は大きいのだ。来年一挙に黒字にするためには、一年間で三億円ぐらいの損益好転が必要だ。良い方向へ向いていているようだが、現有人員、現有設備で、この大きな落差を乗り越えることが可能なのか――沢井の心は、まだ大きな不安のなかにあった。

だが――と一方で沢井は思う。管理職の給与カットの廃止を決断したとき感じたように、黒字になったら、という他力本願の意識では黒字になりはしない。赤字のなかから、オレが何かをすることで黒字にしていく、と考えなければならない。道はそれしかないのだ。

では、オレが何をしたらいいのだ。それはわからない。ただ一つはっきりしているのは、沢井以下太宝工業で働く人たちが昨日までと同じことをしているかぎりは、結果も同じ赤字にしかならないということだ。つまり、太宝の社員たちは昨日までの自分を捨てて、新しい考えで今までしなかった新しいことをしなければならない。そうしないかぎり、当社の黒字浮上はない。

「つまり、昨日までの太宝は一度ここで死ぬのだ。そして、新しく生まれ変わるのだ。みんなの心のなかで、この生まれ変わりをやらなければならない」

社長室の椅子にすわって、沢井は頭のなかで独り言を言った。

「よし、生まれ変わりをやろう」

――だが、社名変更までやるには手間と費用がかかりすぎる。もっと簡単に会社の生れ変わりを象徴できるものは……。ちょうどお正月が来るし、日本人の感覚からいっても、新しい年から黒字の新しい太宝工業が生まれる、何かそういうことをやらねば……。

沢井は、電話で藤村部長、大島部長、和田課長を呼んだ。そして、今の自分の考えを話した。三人は沢井に対していろいろ質問をしたり、何やら雑談めいた話などをしている。考え詰めてきた沢井と同じレベルにたどりつくための準備運動だ。

「本格的にやるならＣＩ（コーポレート・アイデンティティ）のプロの力を借りるところでしょうが、当社にはまだそんな余裕はないし……」

藤村部長が天井を見つめながら独り言のように言う。

「どうでしょうか。社章を新しくしたら。社章は会社のシンボルですから、それを新しくするのは生まれ変わりじゃありませんか」

「うん、うん、私もそれを考えてましたよ。どうも今の社章はデザインがゴタゴタしている。もっとスッキリしたものにしたいですね」

大島部長が藤村に同調した。

「私は前から気になっていたんですが、太宝には社旗もバッジもありません。総務部長としてはこういうものが欲しいですね。しかも社長の気持ちも汲んで申し上げれば、旗はともかくも、バッジはお金を張り込んでいいのを作りたい。社員たちがどこへつけて出ても恥ずかしくない立派なバッジを」

「いいですね、藤村部長、大変いいです。社員たち喜びますよ。社長、社章の切り替え。これ、やりましょう」

「そうか。和田君も賛成か」

「はい、大賛成です」

「よし、決まった。やろう。次の部長会議に大島君から提案してもらう。オーケーになったらすぐに社員に賞金をかけてデザインを募集する。十二月中旬かできれば十日ごろまでに選考して入賞を決め、すぐ発注して、暮れまでに旗とバッジを作る。そして来年の正月四日の初出勤の日には、正門脇のポールに新しい社旗を掲げてみんなを迎える。新しいバッジを配って、帰りにはそれを胸につけて帰ってもらう。バッジは藤村君の言うように、少々高くても良いものを作る。新しいバッジは新しい太宝工業なんだから、どこに出しても恥ずかしくない立派なものでなければならない。これが当社の新しく生まれ変わる儀式だ」

「予備を含めてバッジ四〇〇個、一個一〇〇〇円とすれば四〇万円。それと旗と賞金。まあ、六〇万から七〇万ぐらいのところか」

藤村がすぐソロバンをはじく。

「事務局として確認させていただきますが……」

和田が、手帳を開いてメモをとりながら言う。

「採用した案、つまり一等賞に賞金三〇〇〇円、その他に佳作五点として一〇〇〇円ずつ、あとは参加賞として全員に一〇〇円か二〇〇円ぐらいの賞品……」

「和田君、ちょっと待ってくれ。そういう細かいところまで私は言いたくないが、一等賞三〇〇〇円はないだろう。応募してくれる人は昼間働いて帰って、疲れているなかでいろいろ考えてくれるのだ。その労に報いるために全員に参加賞を出す。それはいい。

それはいいが、その労に報いる会社の気持ちが一〇〇円か二〇〇円、これはあまり失礼だ。だいいち、デザインを考える人は、会社の生まれ変わる方向について考えなければならない。そのためには会社の募集要項をよく読んでくれるだろう。これはトップの哲学や考えを理解してもらう絶好のチャンスだよ。オッと思うぐらいの賞金をはずんでほしいな」

「では、一等を一万円……」

「うーん、もう、チョイ。バナナの叩き売りみたいになったが、一等三万円、二等二万円二本、三等一万円三本、佳作三〇〇〇円五本、それに参加賞一〇〇〇円ぐらいでどうかな。予算はないが、藤村君どうかね」

「五十歩百歩のことです。金額は心配なさらずに、オッと思ってチラシをよく読んでくれる線をねらうべきです」

「よし、それでいこう。大島君、和田君、頼んだよ」

急に忙しくなってきた。

忙しくなったといえば、この十一月は二十日を過ぎると製造現場は戦場のようになった。社員たちの身体の動きが違っている。眼の色も変わってきた。沢井は毎日のように現場をまわった。あちこちで悲鳴が上がり始めた。

「社長、ダメだよ、こんなこと。ひと月だけだよ。こんなの続いたら死んじゃうよ」

「わかってる、わかってる。ひと月だけだ。しかしこの調子だと、念願の二〇〇トンをかなり超える出荷になるぞ。そうなれば必ず黒字になる。黒字になったらこも樽すえて、みんなに飲ませるぞ」

「ほんとかね、社長」

「おお、黒字になったらこも樽なんて安いもんだ。必ず、鏡を割って、木の香りのする酒を飲ます。頑張ってくれ」

「じゃ、やってみるか」

「頼んだぞ」

こんなやりとりが現場のあちこちで行なわれた。

こういう動きは協力会社の社員も巻き込んでいった。彼らも太宝の社員といっしょになって働いている。そんななかで太宝サービスの梶原社長の姿が目立つ。フォークリフトに乗っていたり、何か重たい物をかついでいたり、黒い顔をさらに真っ黒にして働いている。沢井の姿を見ると、白い歯をニッと出して、手を振って挨拶する。オレもやっているよ、あんたも頑張れよ——と、彼の声が伝わってくる。沢井も遠くから手を振って応える。

㈲山形工業の秋沢社長、㈲四谷工業の四谷社長も同じだ。社員一〇名内外の会社では、社長も何もあったものではない。むしろ社員の嫌がる仕事を率先して社長がやらなければならない。安全帽、安全靴、防塵眼鏡に防塵マスクの完全武装で働いてる。

北村機械㈱の北村社長だけは少し違う。他の三人の社長より老齢でもあり、ほかに工場を持っていて太宝だけの仕事をしているわけではない。太宝内で働いている社員は三五名だが、他の工場なども合わせると一〇〇名からの会社の社長である。ときどき太宝に来て、あまりよごれていない作業服を着て現場を巡回している。沢井と、ときどき現場で会って立ち話をする。頭に白い髪がふさふさしている温厚な紳士である。人望もあり、おのずから太宝で働く四つの協力会社の社長たちのボスになっている。

現場のことは息子を工場長にしてだいたい任せているのだが、その北村社長もこの月の下旬には足しげく太宝に顔を見せた。そして、現場で沢井の姿を見つけると近寄ってきた。

「やあ、瞬間最大風速をつかむって、えらいことを宣言しましたね。おかげさまで当社のほうは収入が増えて結構ですが、うちの社員は真面目なのが多いですから、夢中になってやってますよ」

「やあ、どうもありがとうございます。二〇〇トンできるかどうか、と思いましてね」

「瞬間最大でですか」

「いや、平均巡航速度です」

「うーん、平均で二〇〇トン、ね」

「できませんか」

「うーん、やりようですな」

「そうですか、やりようですか」

「そう、やりようですね」

禅問答めいた話をしたのが、沢井の心に残った。

ともかくもこの月はみんなへとへとになって月末を迎えたのだった。

第6章
赤字の正体
【12月】——絶望の先に答えがある

「みなさん、ご苦労さま。月の初めごろから昨日まで、十一月はみなさん本当によく頑張ってくれました。確定数字が出たらなるべく早くお知らせしますが、目下の見込みでは販売量二三〇トン、売上高三億二〇〇〇万円ぐらいになるようです。したがって、十一月は久しぶりに黒字になることは間違いないと思います」

おうっ――というどよめきが、社員の間から起こった。十二月一日の朝礼である。沢井はマイクをしっかり口の前に持って、話を続ける。

「私は今、複雑な気持ちです。それは、ひと月だけの瞬間最大風速とはいえ、当社は二〇〇トンをはるかに超える生産能力を持っていることが、十一月に証明されたということです。問題にしていた受注残もかなり減りました。営業の人もこれで仕事がやりやすくなるでしょう。しかし、頑張れば二〇〇トン以上やれる。そしておそらく間違いなく黒字になる。こういうことが証明された。これはみなさんも同じでしょうが、私にとって非常に嬉しいことです。

しかし一方で、十一月のこの実績は、みなさんが特別に頑張ったひと月かぎりの数字で、これを毎月続けることはできません。当社が黒字になるには、こういう黒字を毎月続けなければならないのです。つまりみなさんがゆとりを持って、もっと楽に働いて、それで毎月黒字になることが必要です。それがそう簡単ではないことはみなさん十分ご承知のはずです。私が複雑な気持ちだと言ったのはここのところです」

二〇〇名を超える人びとが、狭い食堂にびっしり入って、沢井の話をじっと聞いている。沢井もまたその人びとの心に訴えようと真剣に話しかける。少なくともこの朝礼の場は、半年前の姿とはまったく変わっていた。

「しかし、迷っていても何も始まらない。私がいろいろな折りに申し上げているように、今までやらなかったような何か新しいことを『オレがやる』と始めなければ、黒字への変化は起こりません。そういう意味もあって、先月あの忙しさを承知のうえで、花壇作りをみなさんにお願いしました。

ありがたいことに、あの忙しさのなかで、早速あちこちで取りかかってくれて、何と昨日までにすでにできあがったのが二か所、目下工事中が七か所もあります。これは今までのみなさんになかった新しい行動です。

私はこの花壇へのみなさんの取り組みを見て、大丈夫、当社はいける、黒字になると確信しました。だが、そのためには、ここで従来のわれわれの古い考えや態度などを、一度全部捨てたほうがよいと思います。つまり古い太宝工業は一度死ぬのです。そしてこのお正月を期して、新しい太宝工業に生まれ変わるのです。生まれ変わって、新しく生きていく方向は、第一に『オレがやる』、第二に『協力する』、第三に『明るくする』の方向です。

すでにみなさんのお手もとにチラシが配られていると思いますが、会社のシンボルである社章を新しくしたい、それは当社の新しい生まれ変わりを宣言するものなのです。この十二月に今までの赤字の太宝工業を捨てて、お正月からオレがやる、協力する、明るくするで黒字の新しい太宝工業に生まれ変わる。その生まれ変わりを象徴するのが社章の切り替えなのです。どうかたくさん応募してください。

応募作品は、みなさんの投票で、いくつかの候補作品にまず絞ります。次に労使の代表者で作る選考委員会で厳選のうえ、入賞作品を決めます。そうしたらすぐバッジと旗を作ります。そして、お正月には正門脇のポールに新しい旗を掲げて、みなさんを迎えます。その日にバッジを配ります。これが太宝工業の生まれ変わりのしるしです。みなさんの積極的な応募を待っています。最後に、私は現場を歩きながら、十一月が黒字になったら、こも樽の鏡を割って一杯やると約束しました。数字が確定したら、年末にその約束を実現したいと思います。

みなさん、本当にご苦労さまでした」

こも樽の話が出たら、また、おうっ……というどよめきがあった。そのあとの製造部長からの安全関係の話を終えて、「安全ニュース」第二号を手にして、ざわめきながら社員たちは職場に帰っていく。一部の人たちは、総務の人といっしょに、テーブルと椅子を元に戻すのを手伝っている。

「それっ、そっち持てよ」

「よいしゃ、いいぞっ」

「よいしょ」

「結構重いなあ」

大きな声をかけ合って、冗談を言ったり、笑ったりしている。

「だいぶ明るくなりましたね」

みんなを見ている沢井の横で、藤村部長が小声で話しかけた。

「うん。たしかに変わってきた。だが、もう半年近い時間を　費やした」

「そうです。厳しいですね」

「うん、年が明けたら、もう一段突っ込んだ勝負だ」


十二月四日の定例部長会議に、津野部長からショッキングな報告が行なわれた。津野は、新組織で設置された技術部の部長になっている。彼は、かねて技術部と営業部からメンバーを出したプロジェクト・チーム（重点指向製品検討プロジェクト・チーム）のリーダーで、重点製品のコストを新積算方式で算出し、現在の販売価格と対比した棒グラフを一品一葉で作成、報告することになっていた。そのグラフの一部が出てきたのである。

「一品一葉で一八枚のグラフをお手元に配りました。詳細は後でご説明しますが、結論的に言うと一八品のうち、コスト割れのもの一一品、利益が出ているもの七品ですが、コスト割れはかなり大幅な損失なのに対して、利益のほうはほとんどが五％以内の利益です。つまり、当社の赤字の姿がそのままグラフに出ています」

津野は口数の少ない、冷静な技術者であるが、このときはことさら冷静に、一語一語言葉を選んで、慎重に話しているように感じられた。

「社長から、結果が出次第、逐次部長会議に報告するようにとご指示がありました。そこでもっと早くご報告したかったのですが、プロジェクト・チーム内部にいろいろ議論がありまして、一八枚もグラフがたまってしまうまでご報告が遅くなりましたことをおわびいたします」

藤村部長からある程度のことは聞いていたが、沢井は知らん顔でたずねた。

「チーム内の議論というのは、どんなことですか」

「はあ、この結果の数字がおかしいという意見が、営業のメンバーから出たのです。つまり、新積算方式ではコストを正しく把握できない、という意見です」

「コストが実際より高く出すぎるのじゃないか。逆に言えば、われわれ営業はこんなに安く売ってはいないということです」

津野の慎重な言葉遣いにかぶせるように高野営業部長が早口でしゃべった。

「実は……」

その高野を押さえるように、藤村総務部長がゆっくり話し始めた。

「コスト計算のことですから、経理を持っている私のところに相談がありました。議論は主として営業のメンバーから新積算方式はおかしいという意見が出され、技術のメンバーはそんなことはないという点で対立しました」

「ふむ」

「総務としては、新積算方式は十分実用に堪えうる正確度を持っていると返事しました。だから、チーム内でいつまでも議論しないで、早く部長会議に報告するようにとすすめて、今日の報告になったのです」

「どうもこの積算方式はおかしいのです」

気の早い高野は待ちかねて口を入れる。

「おかしいって、具体的にどうおかしいのかね」

「社長、われわれ営業の人間は、経理の細かい計算のことはよくわかりません。総務が正しいというのなら正しいのでしょう。しかし、われわれはお客さまと何回もハードなネゴをして値段を決めているのですが、こんな赤字の大安売りみたいな値決めをしているつもりはありません。みんなハードなネゴをしているのですから……」

高野の白い肌が紅潮している。かなり感情的になっている。ここへくるまでに、部長レベルでも厳しい議論があったのだろう。

「うん、営業の人たちが頑張っていることは、私も認める。私自身、高野君やそのほかの人たちとユーザーさんにうかがって、営業の人の苦労の一端は味わっている。とくに着任後間もなく一〇%の値上げを指示してからは、営業の人は一段と苦労していると思う」

沢井は高野の感情の動きに注意しながら、慎重に話した。

「しかし、そのご苦労と、このグラフとは別の話だ。私にはこのグラフは、実によくわかる。この一八枚のグラフのほとんどが高い利益を上げているような結果が出てきたら、かえって私は新積算方式に疑問を持っただろう。そうだったら当社は黒字になっていなければならないからだ」

「それはそうですが、しかしわれわれ営業は……」

「高野君、よく聞いてくれ。さっきも言ったように、私は営業の人びとの努力を認めている。これは私だけではなく、ここにいるみなさんも同じはずだ。このことをまず確認してくれ」

「はい」

「さて、次に、これとは別に、営業の人の気持ちや努力を一応そちらに置いて、客観的に新積算方式でコストを算出した。これは感情論ではない、客観的な数字だ。いいね、高野君」

「はい」

「その数字と現在の売り値、これも客観的な数字だね、これと比較したのがこのグラフだ。新積算方式は経理の専門家たちが十分実用に堪えうるものだと言っており、君もある程度それは認めている」

「はい」

「その客観的な数字のグラフによれば、かりに適正マージン率を一〇%とすれば、この商品は現在の売り値より一三%アップ、これは一八%アップ、一番安いこれは二三%アップしたところが適正な販売価格ということになる。私は今まで大ざっぱに、営業は一〇%販価を上げろ、工場は一〇%コストを下げろ、そうしたら当社は黒字になると言ってきたが、そんなあいまいな言い方ではなく、このグラフで、商品別の値上げ幅がはっきりした。

問題が、これで一つクリアーになったのだ。このグラフにもとづいて、頑張れというかけ声だけではなく、商品別、ユーザーさん別の攻め方を営業のなかで検討して、具体的な戦術を頭に入れてユーザーさんのところへ行くというように変化させてもらいたい」

「お言葉はもっともですが、しかし……」

「うん、僕は理詰めの話をした。高野君は感情でひっかかっている。おそらく君の部下たちも同じだろう。よし、僕が営業の人たちと話し合おう。高野君もいっしょに。納得してくれるまで何回も話し合おう。いいね、高野君」

「はい」

「社長、経理の計算がからみますから、総務部長として私もごいっしょに……」

「うん、お願いするよ。それから、チームの作業は引き続き進めてください」

この部長会議があってから、新積算方式を用いた商品別グラフは急速に報告されるようになった。一方沢井はその日以後、営業の人たちと何回か話し合いを重ねた。

会社全体が赤字なのだから、グラフは赤字の商品が多く出てくるのは当然である。そんなことは高野部長以下ベテランぞろいの営業の人たちがわからないはずはない。彼らがこだわっているのは、コストを無視したそんな値段しかとってこれなかったのか、と営業以外の社員から非難されることがいやなのだ。これでは社長が前から探していた〝当社はなぜ赤字なのか〟の赤字の犯人は営業だということになってしまう。そんなことには堪えられない。それを認めることは屈辱だ。

営業部長以下のこのような心情的な抵抗感をよく把握したうえで、沢井と藤村は営業と話し合いをした。曲折はあったが、思ったより早く了解した。営業マンは細かな理屈立てより感情的な割り切りを重視する人が多い。

割り切った後の彼らの行動は早かった。プロジェクト・チームから出されるグラフを中心に、商品別・ユーザー別の値戻しの検討を、営業戦術会議と称して、十二月の多忙のなかしばしば行なった。——これは値上げではない。従来の値段が不適正でした。適正な、われわれ太宝工業の社員がほどほどに食える値段にしてください。当社はすでに倒産寸前のところへきているのです――彼らは率直に頭を下げて訴えるようになった。

もっとも印象的だったのは、適正価格にするためには七〇％の価格上昇をさせなければならない商品が出てきたケースである。過去にどういう事情があったのか不明であるが、たとえば一七万円で売るべきものを一〇万円で売っていたということである。

このグラフを見たとき、沢井もさすがに頭に血が昇った。高野営業部長に七〇％の値戻しを早速命じた。

「それはムリです。そんな無茶な話を持っていったって、認めてくれるはずがありません」

高野部長は頑強に抵抗した。

「無茶な話っていうのはむしろこちらの言い分だ。今までの値段が無茶だったんだ。今度の値段がまともな値段なんだ。そう思わんかね」

「それはそうですが、そんな話をしたら当社は失注します。他社でも作れるところがあるのですから、そちらへ持って行かれます。あそことの長いおつき合いも終わりになってしまいます」

「うちが暴利をむさぼろうというのではない。われわれが食っていくための妥当な値段をお願いするのだ。本当は今までの分を返してもらいたいくらいなんだ」

「計算上は社長のおっしゃるとおりかもしれませんが、お得意先の金井さん、それに中川課長や高橋部長など長いおつき合いの人の前で、二〇％や三〇％ならまだしも、七〇％なんてとても……」

「二〇％や三〇％上げてもらったって赤字が少し減るだけだ。適正な値段でお願いするのだから、もっと堂々と話したらいい」

「社長、そんなことしたら失注です。大事なお客を失うんですよ。責任問題です」

「よし、わかった。七〇％アップの話を持って行って、それでお客を失うんならやむをえない。責任は僕がとる。だから安心してやってきてくれ」

「社長が、責任を……」

高野部長の紅潮していた顔が、青白くなった。長いこと沢井の顔を見つめていた。

「わかりました。やります」

「そうか、やってくれるか」

「はい、やるからには私も必死で、全力投球してみます」

「うん、頼む。私が必要なときは遠慮なく言ってくれ。私が行ってお願いする」

「はい、ありがとうございます。が、オレがやる、です」

こんなひと幕があって、高野部長は文字どおり顔色を変えて社長室から飛び出して行った。


十二月中旬のある夜、沢井は大和会の忘年会に出席していた。大和会というのは、太宝工業の製品を取り扱う販売代理店七社によって構成されている。毎月一回会合を持って営業上の打合せと勉強をすると同時に、ゴルフなど親睦をかねた会でもある。酒がだいぶまわって座が乱れてきたころ、この会の長老格の㈱中央熱炉の元沢社長が沢井に言った。

「沢井さん、最近おたくの営業マンが変わってきましたね」

「ほう、どんなふうに変わってきたんですか」

少し離れた席で他の社長たちと話している高野部長を、元沢はチラッと横目で見た。

「眼つきがキツクなってきたんですよ。値戻しだ、値戻しだって、言うことも厳しくなりましたね」

「そりゃまた……何かご迷惑をおかけしてませんか」

「いや、いや、そう言っては大変失礼ですが、やっと商売人らしくなってきたと言うか。われわれのような零細業者は赤字が続けばすぐ倒産ですが、一部上場の親会社に支えられた太宝さんはつぶれない。この際だから言わせていただくと、われわれから見たら殿様商売ですからね」

「ふうむ、やっぱり、そうですか」

「それがですね、ごく最近、急に厳しくなってきたんですよ。何かあったんですか」

「そう、そう、私も社長さんに一度申し上げようと思ってたんだが……」

双葉電炉㈱の鈴木社長が割り込んできた。

「そうなんです。元沢さんが言うように、お宅の営業の人たち、最近急に変わってきてますよ」

「ほう」

「大きな声じゃ言えませんがね。この間までは夕方五時になるや否や飲み屋かマージャン屋ですわ。五時半ごろ電話したって誰も事務所にいませんよ。それがですね、最近では七時でも八時でも誰かいますね」

「まあ、やっとわれわれ零細業者なみの眼つきになってきたというか。怒っちゃいけませんよ。ほめているんだから」

「いや、ありがとうございます。うちのことはなかなかわからないものでして……」

「こういう変化が急に起こるというのは、どんな手を打たれたんですか」

元沢はそれが気になるとみえて、しつこく聞いてくる。

「いや、いや、格別のことはありませんよ」

沢井社長はとぼけて逃げた。

「なるほど」


一方先月下旬に募集し、わずか二週間で十二月七日に締め切られた新社章のデザインは、協力会社の社員とその家族も含め、応募者一一一名、応募作品は二三五点に及んだ。予想をはるかに上まわる応募作品の処理に、事務局は多忙をきわめた。

素人のあか抜けないデザインばかりだが、何よりも太宝工業の新しい方向をどう表現するかと苦労したあとが、ありありとうかがえる作品が多かった。全社員によって行なわれる第一次審査のため、食堂の壁いっぱいに貼り出された作品を見て、沢井の心のなかに熱いものが流れた。

作品の下に書き出された一人ひとりの名前が、顔となって見えてくる。その人びとが夕食後、家族と話しながら画用紙の上にあれこれ工夫をしている。奥さんも子供さんも、いっしょになって考え、工夫をしている姿が見えるのだ。長年の赤字の暗い生活から脱出することを、彼らがいかに強く望んでいるか。作品の一枚一枚が沢井に語りかけてくる。たくさんの作品を見ているうちに、沢井の顔が厳しくなっていく。死にものぐるいで頑張らねば……沢井はあらためて決意した。

二三五点の応募作品から三〇点の候補作品が絞られ、取締役と労組の三役からなる選考委員会で、入賞と佳作が決められた。ただし佳作五本の原案に対して、予想外の応募に報いるため佳作本数を大幅に増やしてほしいという労組側委員の提案を会社側も即座に了解して、一等一本、二等二本、三等三本の入賞六本に洩れた二四点全部を佳作とした。

一等の入賞作品は、総務課長がかねて予約しておいたデパートをとおしてただちに発注し、年末までの大特急で、社旗とバッジの製作に入った。

時間はややさかのぼるが、十一月下旬から年末賞与の交渉に入っていた。従来は総務部長と総務課長が交渉のほとんどを取り仕切り、最後の詰めだけ社長の了解をとって行なわれていた。したがって他の取締役は、部長会議で結果の報告を聞かされるだけになっていた。

沢井はこのやり方を変更した。交渉の窓口は従来どおり総務だが、ある段階から最後までは全取締役が社長室に詰めて、合議して取り進めることとした。賃金と賞与は経営の重要事項であり、取締役に経営者としての視野を持ってもらうための措置であった。

こういうやり方に変えるので、今までより回答の出るのが遅くなるかもしれないが、了解してほしいという会社の申し入れに対して、組合はそういう意図には大賛成、いくらでも待つからよく合議して決めてくれと了承してくれた。

十二月初旬、団体交渉はひと晩の徹夜で結論が出ずに、ふた晩にわたる連続徹夜の末、夜のしらじら明けるころ、妥結点に達した。沢井以下取締役一同は、コーヒーにうるさい津野取締役が自宅から持参したセットで入れてくれたコーヒーを飲んだ。六人の取締役の気持ちがかなり深くつながっているという共通感覚を味わいながら、飲んだこのコーヒーの味は格別だった。


十二月十八日の夕方、藤村部長が浮かない顔をして社長室に入ってきた。

「実は、十一月の月次決算が出たのですが……」

「おお、出たか。どんな数字になったかね」

「それが、販売量二四〇トン、売上高三億二〇〇〇万円……」

「うーん、凄いじゃないか。瞬間風速とはいえ、当社は二〇〇トンをはるかに超える力を持っているんだ」

「そこまではいいんですが……利益が、経常レベルで六〇〇万円しかありません」

「えっ、六〇〇万円。そんなことはないだろう。二〇〇〇万円か少なくとも一〇〇〇万円を超える利益が出るはずだ。どこか計算違いしていないか」

「何回もチェックしてみましたが、計算に間違いはありません。それと、当月とくに損益の足を引っ張る別の要因もありません」

「うーん……。しかし、それが本当なら、藤村君、これは大変なことだな」

「はい。分岐点が大変なところにあることになります。もっとも新積算方式のグラフから見れば、格別不思議でもないのですが」

「ともかく、よほどの改善、改革が行なわれないかぎり、当社は黒字にならん、ということだ」

「そういうことです」

「課長会議は来週の月曜日、二十一日だったね。管理職にはその席で私からも言うけど、君からもこの数字の意味をよく話してください」

「はい。それから黒字のお祭り、こんなことでもやりますか」

「ああ、それはやりましょう。約束したんだから」

「では年末二十八日の御用納めの夕方、鋳造工場の炉の火を落としてから、あそこを舞台にして設営します」

「そうしてください。紅白の幕を張って、台の上にこも樽をすえて、取締役と組合の三役の人たちに上がってもらいましょうか」

「社長に挨拶していただいて、その後社長と委員長で鏡割り、岡田常務に乾杯の発声ということにして……」

「うん、そんなところで、よろしくやってください。しかし、六〇〇万円か。参ったな……」

朝礼への出席者の人数の増加と熱心に話を聞く態度、花壇作りや社章募集などへの積極的な参加の姿勢など、組織が活性化しつつある手応えを沢井は感じていた。そして、この調子でいけば案外早く黒字になるかという希望的な見方も、正直のところ沢井の心中にあった。

組織が、社長としての沢井の意向にそって動いてくれるようになってきたのは事実であった。十一月の瞬間最大風速を求める沢井の声に、二四〇トンという数字を出して応えてくれたことが、何よりもこの事実を証明する。しかし、その結果がたったの六〇〇万円の利益とは――沢井は深い絶望に襲われた。

高い崖を一所懸命登ってきて、ある高さまでやっとたどりついたと思ったのに、ズルズルと落とされて、ふたたびまた登りなおさなければならない。そんな思いである。そのあらためて登り始める来年の体制が、先日の部長会議でほぼ固められつつあった。それは以下のようなものである。

(1) 来年度の全社目標として、次の二つを掲げる。
①安全第一――休業災害ゼロ
②黒字達成――年間経常利益一億円以上

(2) この全社目標を実現するために、各部、各課はどのような改革、改善を行なうかを検討し、それぞれの部、課の目標を設定する。

(3) 各課内の目標のあり方は、課の目標を実現するためにという考え方で具体化する。その方法は各課長に一任する。

昨年八月に従来の目標による管理の廃止を宣言したとき、来年から新しい生きた目標による管理をやると言ったが、これがそのやり方である。

(4) 以上の目標をより効果的に達成するために、来年四月から安定的に黒字が出る体制を作る。

具体的には次の各項である。

①全社的な体質改善運動を四月から展開する。

②その一部としてQCサークルのような小集団活動を実施する。

③部課長から監督者まで、上から下へ階層別合宿訓練を開始する。これは準備が次第一月もしくは二月から始める。

(5) 以上の当面一年間の体制以外に、もっと長期の戦略的検討を開始する。具体的には三か年計画の策定である。すでにプロジェクト・チームで開始している重点指向製品の検討結果をベースに、三か年販売計画をまず作り、次にそれを実現するための製造計画、間接部門計画を作り、部長会議でこれらをまとめた総合三か年計画として策定する。

十二月二十八日、御用納めの日がきた。午前中で仕事を終え、午後から職場の清掃にかかる。四時から鋳造工場で約束の黒字達成を祝う一杯をやって、年を終えようという段取りである。

この日の午後一時、沢井は全管理職を招集して、次のような話をしている。

「一年間ご苦労さまでした。私が赴任してちょうど半年になります。当社を黒字の会社にするため、いろいろなムリをしてもらいました。心からお礼を言います。

さて、今日集まっていただいたのは、先日の課長会議で申し上げたことについて、あらためてもう一度しっかり頭に入れて、正月休みに入ってもらいたいからです。二度目だからくどくは言いません。十一月のあの瞬間最大風速で二四〇〇トンも生産し、三億二〇〇〇万円売り上げた結果がわずか六〇〇万円の利益しかなかった。この事実をもう一度嚙みしめてください。

このような現状のままでは、安定的な黒字になることは絶対にできません。では、どうしたら、黒字になるのか。正直なところ私にもわかりません。ただ一つわかっているのは、最近みなさんはかなり変わってきたけれど、もっともっと変わらねばならないということです。どんな改革、改善をしてもっと変わるのか。それをこのお正月休みに考えてきてください。

今日、午後四時から黒字を祝って、一杯やります。一般の社員の方には気持ちよく飲んでもらって、年を終えたいと思います。しかし管理職のみなさんは一般の人びとと同様に、ただ手放しに喜んでもらっては困ります。今言った宿題を忘れずに持ち帰って、正月休み明けには、答えをそれぞれ持って出てきてください」

管理職にこういう歯止めをかけて、午後四時、井原総務課長の案内を受けて、沢井は鋳造工場に入った。火を落とした炉に蓋をして、舞台のようになっている台の上に、指示したとおり紅白の幕を背にして、五人の取締役と労組の三役が並んでいる。その前にこも樽がすえられている。台の下の工場の床には、食堂から持ち込んだテーブルに、ビールやつまみが用意され、協力会社の社員を含めた二三〇名の人びとが、思い思いの姿で立っていた。

「どうぞ」

井原課長が台に登る階段を示した。

「うん」

沢井は階段に片足をかけた。そこでふと上げた眼が、下にいる一人の男の眼とぶつかった。協力会社の北村社長の眼であった。太宝サービスの梶原社長、山形工業の秋沢社長、四谷工業の四谷社長の四人の顔がそこにあった。

――しまった。

沢井の足が止まった。十一月に久しぶりに黒字が出たその努力の一部は、協力会社も担っている。にもかかわらず太宝工業の取締役と労組の三役だけ、高い台の上に上げるように指示した。沢井は協力会社を忘れていたのだ。

先日の課長会議で、ある課長が自分の課の不成績を弁解して、

「何しろ下請けの奴らがもたもたしているもんですから……」

と責任を協力会社になすりつけようとした。

「下請けの奴らとは、何という言い方だ。そんな見下げた言い方は許さん。だいいち、協力会社の人たちにいかに働いてもらうかも管理職の仕事のうちだ。それを責任をなすりつけたうえ、下請けの奴らなどという軽蔑した言い方は、絶対に許さん。当社内で今後下請けという言葉を使ってはならん。協力会社と言え」

沢井は怒鳴った。顔色が変わっていた。社長、本当に怒ったんだ――とその後も社員の間でたびたび話に出ている。

その沢井が、協力会社の社長を台の上に上げるのをうっかりしたのだ。

「何と、オレも心のどこかで下請けと思って一段上から見下ろす気持ちを持っているのだ。だから忘れたりするのだ」

この思いであった。脇の下に冷や汗が流れていた。どうするか。衆人環視のなかだ。

——仕方がない。間違いは修正するだけだ。

自分に言い聞かせて、沢井は階段にかけた片足を下ろした。そして北村社長に近づいて言った。

「どうか、台の上に上がってください」

「とんでもない。ここへ出席させていただくだけでも光栄なのに、あんな高い所へなんか……」

「いや、そうはいきません。ぜひ上がってください」

押し問答しながら、沢井は北村社長の背中を抱えるようにして台の上へ押し上げた。あとの三人も同様に遠慮するのを、手を取り、背を押して台に上げた。

最後に台に上がった沢井は、五人の取締役と労組の三役、四人の協力会社社長を背にしてマイクを握った。

「みなさん、一年間お勤めご苦労さま。おかげで十一月は久しぶりの黒字になりました。同時に当社は頑張れば二四〇トンも生産でき、三億円を超える売上高を達成することが証明されました。問題は、もっと楽に、余裕を持ってこういう数字を達成するにはどうしたらいいか、ということです。来年は、私はみなさんといっしょにこの問題に取り組もうと思っています。それができれば当社は黒字になります。今月の朝礼でも申し上げたように、新しい社章の旗とバッジを作って、当社が生まれ変わるのはそのためです。

その黒字への生まれ変わりの第一歩が十一月の実績で証明されたのです。みなさんは十一月にそういう素晴らしい働きをしたのです。それを記念して、今夜は約束どおり、こも樽をすえました。ビールもあります。コップ酒ですが、心ゆくまで飲んでください。本当にどうもありがとうございました」

盛大な拍手のなかで沢井と北見委員長と北村社長の鏡割り。岡田常務の乾杯の発声で、パーティは始まった。沢井を初め台の上の人びとは、青竹の柄杓《ひしゃく》で、樽の酒を升《ます》やコップに注いで社員たちにサービスする。しばらくは樽の周囲に人びとがごった返した。

やっと一段落して、沢井たちが自分でも飲み始め、升を片手に台を下りてみんなのなかに入ったころには、あちこちでもうかなりできあがっている人びとがいた。

向こうでワーッと歓声があがった。若手の学卒で鋳造係長の杉村が、ねじり鉢巻に上半身裸になって、升酒の一気飲みをやっている。

「もう一杯、もう一杯……」

「いっ気、いっ気……」

ワッ、ワッ、ワッ……と周りの鋳鋼課の人びとがはやし立てる。笑い声、歓声、叫び……熱気が立ち込める。

「みんな喜んでますよ、社長」

藤村部長が升を片手に沢井に耳打ちして通りすぎていく。

「今夜の酒は格別ですな」

津野部長がケロリとした顔で、すれちがった。藤村も津野も酒はやたらと強いほうだ。

「社長、いい酒ですね。われわれはこんなチャンスに長いこと恵まれなかったんですよ。見てください。みんなのこの喜びようを」

北見委員長が髭の下の白い歯を光らせて、コップで場内を示す。

「社長、ハイ、お酒です」

和田課長が、大きなやかんに樽酒を入れて、沢井の升につぎ足してくれた。あまり強くない沢井だが、雰囲気に包まれて、つい飲んでいる。和田課長は大きなやかんを持って、サービスに走りまわっているようだ。

「社長。オレは二〇年ここで働いてるけど、こんなうまい酒飲んだことないよ。こんな酒、もっと飲んでみたい」

こんなことを言う社員が何人もいる。

「おお、黒字にさえなれば、こも樽なんて安いもんだ。いつでも飲ませるぞ」

「ほんとかね、社長」

「ほんとだとも。そのかわり今度の目標は三連勝だ。三か月連続して黒字になったら、こも樽二本すえよう」

「おーい、みんな聞け。三か月連続黒字やったらこも樽二本だぞ。社長が約束したぞ」

「ようし、やるべえ。三連勝、やってやろうじゃないか」

「よし、飲もう、もっと飲もう。明日からは正月休みだ。今夜はトコトン飲もう」

「ビール追加持ってきたぞ」

こうして、この年は終わったのである。

解説ノート

4　10月をふり返って

経営哲学とは

戦略に依存せず、組織活性化で黒字にする。そう誓った沢井社長は、まず「組織の人間的側面」への取り組みを強化した。安定した黒字経営の実現に向け、三方針を打ち出し、方針の実践パワーを高めるためのコミュニケーションも密にして、働きがいの醸成にも注力した。しかし、それらの取り組みは、組織活性化策の半面に過ぎない。あと半分、組織のシステム的側面への打ち手が残っている。

システムの中心となるのは、分業と協働の仕組みである。その仕組み自体は、ベテランの現場復帰という重要課題が未解決ではあったが、一応、新しい組織態勢への衣替えを完了した。だが、仕組みを作っても、それがうまく動くかどうか。そこで、沢井社長は安全環境部を新設したのである。

安全環境部の初仕事は、部門ミッション（安全環境部の存在理由と基本的な役割）の土台となる経営哲学のすり合わせから始まった。経営哲学は経営のバックボーンであり、かつ責任感や納得感という働いがいにも影響を及ぼすものである。

沢井社長の経営哲学（企業観・職場観・人間観）

沢井社長の企業観は、「会社は、人類を幸せにするために、人間によって作られた一つのシステム」という言葉に象徴される。それは松下幸之助の「企業は社会の公器」(注6)やドラッカーの「企業は社会の一機関」(注7)という考え方とも通じ合う企業の存在理由である。

そのような企業観をベースに、沢井社長は「プライベートな時間が幸せであっても、過半数を占める会社での時間が幸せでなければ……。だから、太宝工業の組織を、仕事だけでなく、勉強も遊びも含めた社会生活の場にしよう」という職場観を導き出す。

さらに、沢井社長は人間観にも言及した。人材は業績を上げるための経営資源にはちがいないが、人材は経営資源である前に人間であり、人間としての尊厳やハッピーを求めている。だから、人材を、モノ・カネと同列に論じることのできない「別格経営資源」と位置づけたのである。また、どんな人間も潜在的可能性を秘めているというY理論の姿勢も鮮明に打ち出した。それが人間主義経営を標榜する沢井社長の人間観である。

世の中には、会社を株主の金儲けの手段と捉え、そこで働く人びとを「単なる労働力」とみなすような風潮もある。また、企業は生活の糧を稼ぐ場としてのみ機能すればよい、と言って憚らない人たちもいる。しかし、沢井社長のいうように会社という組織は、人間生活の場としても、潜在的可能性の開発の場としても機能しなければならないのである。

自己管理による目標管理＝MBO－S

本書の物語には、たびたび「目標による管理」という文言が登場するが、それもまた沢井社長の経営哲学の根幹をなすものである。

原文は、「Management By Objectives and Self-Contorol」で、提唱者のドラッカーの意図を忠実に再現すれば、「自己管理による〝目標を上手に使った仕事の進め方〟」と訳すのが妥当であろう。

会社のハッピー（業績向上）と従業員のハッピー（働きがい）の同時実現は、ギリギリ背伸びした「チャレンジ目標」によって可能になる。そのチャレンジ目標の設定や達成活動に際しては、人間の持つ自己管理能力を最大限に引き出すことが必要だというのが、MBO－S（原文の略称）に込められた意味である。

ところが、いつしかこれが「目標管理」と翻訳され、上司が部下の目標を厳しくチェックする「ノルマ管理」と混同されるようになった。昨今では、成果主義を正当化するための「人事評価システム」を目標管理と呼ぶ企業も少なくない。いずれも、ドラッカーの主張とは似て非なるものである。

今こそ、以下のドラッカーの言葉を真摯に受け止めたい。「哲学ということを安易に使いたくない。できればまったく使いたくない。大げさである。しかし、自己管理による目標管理こそ、マネジメントの哲学たるべきものである」（注8）

注6　『実践経営哲学』（松下幸之助／ＰＨＰ研究所／一九七八年）
注7　『現代の経営　上』（ピーター・Ｆ・ドラッカー／ダイヤモンド社／一九五四年）
注8　『マネジメント　エッセンシャル版』（ピーター・Ｆ・ドラッカー／ダイヤモンド社／二〇〇一年）

解説ノート

5 11月をふり返って

オーバーエクステンションを仕掛ける

経営哲学は心構えであり、実践しなければ意味がない。はたして、沢井社長はどのようにMBO‐Sを実践したのであろうか。MBO‐Sという哲学の実践の第一歩は「目標設定」である。それも、新たな工夫と努力が必要なチャレンジ目標の設定である。

沢井社長は十一月のチャレンジ目標として、「瞬間最大風速（がむしゃらに頑張って何トンできるか、目安は二〇〇トン）」という超高難度の製造目標を設定した。それは沢井社長が仕掛けた、一種のオーバーエクステンションである。

『ゼミナール経営学入門』(注9)によれば、「オーバーエクステンションとは、かなり過度と思われるくらいに背伸びしようとする戦略をとること」であり、「多くの企業は成長の踊り場でオーバーエクステンションをやり遂げて、その結果成功してきたのだ」という。つまり、意図的に創り出した「戦略と現状とのギャップ」を梃子に、さまざまな組織学習を促進させ、潜在化している心理的エネルギーの顕在化を図ろうとするのが、オーバーエクステンションの考え方である。

もちろん、本来のオーバーエクステンションは戦略論の文脈で理解すべきものではあるが、短期的なチャレンジ目標の「Ｐｌａｎ（計画）→Ｄｏ（実行）→Ｓｅｅ（ふり返り）」にも十分、応用可能なコンセプトと考えられる。

リーダーの「ひと引っ張り」

ＭＢＯ‐Ｓにおける目標設定の原則は、従業員の自主設定にある。与えられた目標では、やらされ感を抱きやすいからである。それなのに、なぜ、沢井社長はやや強引とも思えるチャレンジ目標に踏み切ったのか。

それは、会社全体はおおむね良い方向に動いているものの、いまだ改革の熱気には至っていないという現状では、ボトムアップによる大きなチャレンジはむずかしいと判断したからである。親会社と約束した黒字化の期限もすでに半年を切っている。受注残がたまっている今を逸することなく、ここは一番、勝負に出るときだと決断し、沢井社長は「リーダーのひと引っ張り」を実行したのである。

無理を承知で修羅場を創り出し、そこにみんなを引っ張り込む。一見無謀と思えるようなやり方だが、沢井社長には勝算があった。今まで培った従業員との人間関係である。たとえ修羅場をためらう人たちも、リーダーと共に修羅場に身を置けば、必ず期待に応えてくれるはずである。そういう期待を頼りに、沢井社長もみんなと一緒にへとへとになるまで働いたのだ。

リーダーのひと引っ張りの話をすると、「それではノルマ管理と変わりがないのでは」と疑う人がいるかもしれないが、リーダーのＹ理論のスタンスがその懸念を払拭する。修羅場に向かって背中を押すのでなく、人間の潜在的可能性を信じるリーダーが、一緒に修羅場をくぐろうと引っ張れば、メンバーは思わぬ潜在能力を発揮するのである。

——注9　『ゼミナール経営学入門　第3版』（伊丹敬之、加護野忠男／日本経済新聞社／二〇〇三年）

解説ノート6

12月をふり返って

抜き差しならぬ対立感情(コンフリクト)

無理にムリを重ねて、やっとの思いで黒字にしたが、利益はたったの六〇〇万円。その数字を前にして、「そんな馬鹿な」と沢井社長は驚き、かつ落胆した。予想以上に損益分岐点が高く、絶望感の漂う黒字であった。

だが幸いにも、「不当に安い販売価格」という赤字の真犯人らしき原因が見つかった。ところが、営業部隊は納得しない。客観的事実を突きつけられても、いや突きつけられたからこそ、余計に認めるわけにはいかないのだ。簡単に認めたら、自分たちの努力は水の泡。だいいち、営業としてのプライドが許さない。すなわち、「抜き差しならぬ対立感情」の発生である。それを組織行動学ではコンフリクトと呼ぶ。

コンフリクトと対峙する

コンフリクトは、二人以上の人間が集まれば、必ずと言ってもいいほど発生し、さまざまな不都合を引き起こす。だから、何らかの打ち手が必要なのだ。しかし、現実の職場では、コンフリクトから目をそらす。せいぜい、「両者でよく話し合って解決したら……」、あるいは「もっとコミュニケーションを密にして……」とお茶を濁すくらいである。

では、どうするか。まずは「表面化させること」である。沢井社長はプロジェクト・チーム内にある対立感情を、定例部長会という公式の場に引っ張り出した。顕在化させた以上、真正面から向き合う。それが「コンフリクトとの対峙」である。

感情問題を論理で解決しない

コンフリクトを氷解するには、相手のメンツを立てることが重要である。

人間は自尊心や誇りが無視されたり、傷つけられたりすると心のバランスを崩してしまう。また、顔を立てるという行為には、相手に逃げ道を用意するという配慮も含まれる。とくに、形勢不利な側には必須の要素と考える。

また、「実質的問題」と「感情問題」とを区分することも必要である。実質的問題とは聞き慣れない言葉かもしれないが、要は「話し合いのテーマ」そのものに関する問題である。定例部長会では、個別原価の事実確認というテーマで議論をしていたが、そこで飛び交う意見の違いが実質的問題である。高野部長は「どうもこの計算方式がおかしいのです」と訴える。それは本来、事実の真偽を問う実質的問題の領域である。しかし、高野部長は、その実質的問題に、「オレたち営業部隊は一所懸命やってきたのに……」、あるいは「営業責任を問われるのはまっぴらだ」という感情問題を絡ませて抗弁する。人間の持つ防衛本能ゆえの言動だが、そうなると、相手もまた、感情問題の解決に実質的問題の論理をもって応戦することになってしまう。すると問題解決は混乱し、議論は平行線をたどる。

そういう人間心理をわきまえ、沢井社長は実質的問題のコミュニケーションと感情問題のコミュニケーションとを区分して、その両方で営業部隊に接近し、なんとか解決にこぎつけた。

ファシリテータの存在がものをいう

一般的に、人間は、実質的問題の議論に夢中になり、感情問題の解決には関心が向きにくいと言われており、リーダーと呼ばれる人たちも例外ではない。とりわけ、論理的思考に自信を持つ人たちは、裁判やディベートのように論理の白黒に関心を奪われて、八月の項でも触れた、感情問題には感情の汲み取りをもって対応するという鉄則（感情の次元のコミュニケーション）を忘れがちである。

そういう現実を踏まえれば、鉄則の実践には意図的な訓練が必要だろう。沢井社長は、教育団体の主催するヒューマンスキル・トレーニングにその場を求めた。私の経験からも、研修における対人問題のロールプレイングなどはかなり有効な訓練だと考えられる。

そのような訓練を受けた人が、ファシリテータ（第三者の立場で問題解決を支援する人）として立ち会えば、コンフリクトの円滑な解消作業が可能になる。

もちろん、対立感情は当事者の問題であり、原則としては当事者同士で解決しなければならないが、解決すべき事柄がきわめてデリケートな要素を含んでいるために、当事者だけでは無用な混乱を招いたり、コンフリクトが増幅することも稀ではない。そんなとき、ファシリテータの存在がものをいう。理想は沢井社長のように、職場のリーダーがその役割を買って出ることだ。もし、リーダーが経験不足なら、上位者や外部コンサルタントにファシリテータ役を委ねるのも一つの選択肢だろう。

第7章

新しい年、新しい社章

【1月】——三か年計画の発表

太宝工業の仕事始めは一月四日である。

その前日の三日、沢井以下七名の部長会議のメンバーは、朝から出勤して臨時部長会議を開いていた。会議の内容は、昨年暮れまで検討してきた黒字浮上のために生まれ変わる新体制についての詰めであった。その要点は、

(1) 新年度の全社目標として、

①安全第一——休業災害ゼロ

②黒字達成——年間経常利益一億円以上

を掲げ、以下部課長の目標を展開するが、形式化しないようにくれぐれも注意すること。この全社目標をみんなで達成しようという意欲のつながりが、もっとも大切である。そういう心のつながりのある組織作りに努めること。また、この全社目標を達成するために、各部課はどのような改革・改善を行なうべきかを検討し、その改革・改善を目標の内容とすること。

(2) 新積算方式による重点商品グラフをもとにして、今後戦略的重点指向製品の選択を続け、販売三か年計画を作る。

この一月三日にすでに第二次販売三か年計画が出され、検討の結果再修正を要することとなった。この販売三か年計画が確定したら、それにもとづいて製造計画、間接部門計画を作り、これらをまとめて総合三か年計画を作成する。

(3) 昨年十月一日の組織改正を充実させ、平均巡航速度で二〇〇トンを製造・販売できる体制を、四月から発足させる。これはすでに検討を始めている全社的な体質改善運動と一体のも

のとする。

以上の各項について、従来検討してきたことを整理したり、より具体的に肉づけしたり、ときには本質論に深く踏み込んだり、会議は夕方まで続けられた。

人気のない事務所は冷えきっている。木造モルタル二階建ての、老朽化した事務所である。石油ストーブをいくら燃やしても、社長室のなかは十分に暖かくならない。オーバーコートを着たままであったり、寒がりの沢井や津野は徹夜用の毛布を出してきて腰に巻いたりしている。

昨年暮れに一月三日のこの出勤の意味を、沢井はメンバーに次のように説明している。

「一月三日に出勤するというのは、正直のところ私自身もやりたくありません。しかし当社は今、全社の体質を根本的に切り替え、社章も新しくして生まれ変わろうとしています。そのため形式化していた目標による管理を捨て、来年からわれわれの心のなかに生きている新しい目標による管理を実施します。また、その目標達成のために全社的改善運動を展開しようとしております。さらに三か年計画を作って将来の展望を示すつもりです。

こういう生まれ変わりは、われわれ経営層にある者が行なっていくものです。それが経営者の第一の仕事です。具体的に言うと、みんなの考えと行動を変えなければならない。そのためにはわれわれがまず変わらなければならない。自分が変わらないで、みんなに変われって言ったって、変わるはずがない。

今年から生まれ変わるのだと正月に宣言する以上、あれっ、トップはもう変わり始めたぞと早くみんなに見せなければならんのです。

三日の日は休みで社員たちは出勤していないけど、守衛さんは出ている。彼が見て、われわれの行動をみんなに伝える。こういう話は、正式の命令よりずっと早く伝わるものです。へえ、うちの役員たちは正月だっていうのに、オレたちより一日早く仕事を始めた。こんなことは初めてだ、と大方の人たちは思うでしょう。ここが肝心なのです。こんなことは初めてだ、今までやったことがない、こういうことが、来年はあちこちで行なわれるようになるのです。それが当社の生まれ変わりです。

一月三日のわれわれの出勤というのは、この意味で今の当社にとって非常に重要な意味を持っている、と私は考えています。貴重な正月休みをつぶしてまことに申しわけありませんが、ご理解いただいて、出勤してくださるようお願いします」

十二月初めに労組との賞与の交渉でいっしょに徹夜した経験が役に立ったようである。部長会議のメンバーたちは沢井の考えを支持してくれた。

冬の早い陽が落ちて、工場の構内に宵闇がかなり濃くなったなかを、沢井たちは解散して家路についた。

一月四日、前夜アパートに泊まった沢井と岡田は、定刻より三十分ほど早く出勤した。正門を入ってすぐ右奥にあるポールに、すでに新しい社旗が掲げられていた。かなり遠くからそれを見つけた岡田が指さした。

「社長、あれ、旗がもう上がってますよ」

「やあ、ほんとだ。ずいぶん早く出勤しているんだな」

「総務の井原課長じゃありませんか」

二人の足が自然と早くなった。正門を入ると、

「おめでとうございます」

井原課長が事務所から飛び出してきた。

「どうですか」

井原が旗を指さす。

「やあ、おめでとう」

「本年もよろしくお願いします」

「こちらこそよろしく。それにしても早いね」

「はい、何しろこの旗を早く掲げたかったもんですから」

「うん、うん」

よく晴れた冬の朝空に、新しい旗が西風に乗って大きく揺れている。デザインをプロに依頼したのではない。社員が発想し、社員が画いて、社員が選んだ新しい社章は、欲目にもあまりスッキリしたものとはいえない。だが、今の沢井には何ものにも勝る素晴らしい社旗に見えた。

「いいじゃないですか、この旗……」

岡田の声が鼻につまっていた。決して自分はでしゃばらず、つねに沢井を立てようと気を遣っ

ている岡田の心が、沢井に伝わってきた。

「うん、うん……」

沢井も、じっと新しい旗の揺れ動きを見つめていた。

「おめでとうございます」

鋳造工場の高田と秋川という中年の作業員だ。二人とも小さな正月飾りのついた自転車に乗っている。

「やあ、おめでとう。今年もよろしく」

「よろしくお願いします」

「どうかね、新しい旗は」

自転車を止め、片足をついた姿勢のまま、二人は旗を見上げる。

「カッコいいですよ」

「そうかね」

「まだなじめない感じもあるけど……何か新しい女房みたいだな」

「そうか、新しい女房みたいか。うん、それはいい。だんだんいい女房になるぜ」

「社長、いい女房になるぜじゃなくて、いい女房にするぜでしょう。何しろオレがやるなんだから」

「あっ、一本とられたな。そうだ、オレたちがいい女房にするんだ。今年も頼むよ」

「はい、任しといてください」

こんなやりとりをして、沢井は事務所に入った。

朝礼が始まった。沢井が壇上からマイクで話し始めた。

「みなさん、新年おめでとうございます。今日の私の挨拶の要点は、あとでお配りする『安全ニュース』第三号に書いてありますから、数字など正確なところはそちらを見てください。十一月の黒字はすでに暮れに申し上げたし、十二月はたぶんまた赤字になるでしょうが、それは『安全ニュース』をご覧ください。

そういうことよりもっと重要なことがあります。今朝正門を入ったとき、新しい社旗がひるがえっているのを見られたことと思います。すでにご承知のとおり、これは一等に入賞した鋳鋼課の中野昭三さんの作品です。今日、この朝礼の後で中野さん以下の表彰式を行ないますが、応募してくださった協力会社を含む大勢の方と、そのご家族の方がたに厚く御礼申し上げます。お帰りになったらご家族の方によろしく申し上げてください。

さて、昨年すでに申し上げたとおり、この新しい旗のもとで、当社は本日から新しく生まれ変わります。生まれ変わる具体的な方向を、今年の会社の目標として次の二つといたします。

第一目標は、安全第一——休業災害ゼロです。

第二目標は黒字達成——今年度経常利益一億円以上です。

この二つの目標を決めるにあたって、トップのほうでいろいろの議論がありました。黒字の会社に生まれ変わるのなら、黒字達成を第一目標にして、安全の目標を第二にすべきではないかという議論です。しかし、われわれはやはり安全第一が名実ともに第一目標だ、という結論になりました。

それは、会社のためにわれわれがあるのではなくて、われわれの幸せのために会社があるのだ、という考えを基礎にしています。すなわち、この世の中で一番大事なのは、われわれ人間の幸せである。われわれが幸せであるための一つの条件として、会社が黒字でわれわれの生活が安定していることが必要になる。しかし、いくら会社が黒字になっても、その過程でみなさんが大怪我をしたり、場合によっては死亡するということがあったら、人間の幸せはない。会社が黒字になるということは非常に重要なことだが、それはわれわれが幸せになる一つの条件にすぎないのです。だから安全が第一で、黒字は二番目に重要な目標なのです。

第一目標、第二目標と順番をつけていますが、これは決していい加減に並べたのではなく、それだけの意味がある順番なのです。

全社目標は短い言葉に煮詰めてありますが、順番にもそれだけの意味が含まれているように、トップ層の議論をよく煮詰めて、注意深く表現してあります。そのつもりで『安全ニュース』に書いてある全社目標をじっくり読んで、わからないところは上司の人に質問してください。上司のほうから十分な説明があるはずです」

ここまでは課長会議でことわっていなかったので、場内にざわめきが起こった。部課長たちの困惑のざわめきであったのだろう。沢井は知らん顔をして話を続ける。

「さて、この全社目標を達成して黒字にするために、これから目標を具体化していきますが、各課のなかのやり方は課長に任せてあります。いずれ課長から何らかの話があると思いますので、その折りは積極的にオレがやる、協力するで、気持ちの通じあった目標作りをやってください。

次に今われわれは三か年計画を作っています。今年黒字にして来年、再来年さらに黒字を大きくし、安定化していく。それを具体的にどうやるかの計画です。みなさんの仕事にいろいろ影響することがあると思うので、これもご協力をお願いします」

ここでも社員たちの間にざわめきが起こった。会社をつぶして清算しに来たとつい最近まで思われていた沢井の口から、三年先の将来のことが公式の場で出された。これは彼らに大きな安心感を与える話であったのだろう。沢井もまたそういう効果をねらってあえて話したのだった。

「さて、三番目の話は当社の黒字浮上を確実にするため、この四月から全社的体質改善運動を開始します。そして本日から三月末まで、その運動のための勉強や準備をやります。この運動は、むしろみなさんが主役となる運動なので、オレがやる、協力する、明るくするの精神で、積極的にご参加いただきたい。

最後に、本日新しい社章のバッジを、みなさんに一個ずつ配ります。募集発表後できあがりまで非常に短い期間でありましたが、総務課長以下総務の人が強硬に交渉して、社旗とともにバッジも本日に間に合わせてくれました。このバッジは親会社である大東金属のバッジよりはるかに値段が高いものです。一個いくらとは言いません。親会社に悪いですから……」

どっと笑い声が起こった。嬉しそうな、明るい笑い声であった。朝礼の場でこんな明るい笑い声を、沢井は初めて聞いた。

「親会社だけでなく、世の中のどこへ、このバッジを胸につけて出ても決して恥ずかしいことはありません。私たちは当社をそういう会社にするのですから、バッジも立派なものを作ったのです。

では、今年一年、健康で元気に、黒字達成をめざして頑張りましょう。以上です」

沢井は一所懸命に話した。七月の赴任以来、月を重ねるにつれて自分が朝礼を重視し、心を込めて話すようになっているのを、自覚していた。聞く側も真剣に聞くようになっている。出席者も二〇〇名を超え、食堂はびっしりだ。その人たちが、じっと沢井を見つめて聞いてくれる。社員たちのその気持ちが沢井の心を引きつけ、真剣に朝礼で話すことに、沢井をのめり込ませている。

半年前、左遷された不満と先行きの不安に包まれて赴任してきたサラリーマンの沢井の姿は、もうなかった。沢井は、太宝工業という会社にのめり込んでいた。それは藤村も同様だった。そして岡田常務やその他の取締役も、次第に沢井に巻き込まれつつあった。

正月、仕事始めの第一週は、官公庁、金融機関、同業各社、主要なユーザーなどへの挨拶まわりで、沢井は忙殺された。その外まわりの挨拶を終えて、新年初めての現場巡回に出たのは、一月八日金曜日の午後のことであった。沢井はみんなに片はしから「おめでとう。今年も頼むよ」と声をかけてまわった。

「どうしたんですか。朝礼で見たっきりすっかり姿を見ないんで、風邪でもひいたのかな、なんて思ってたんですが」

「いや、心配させてすまん。お役所やらユーザーさんやら、あちこちお正月の挨拶まわりでね。七草のうちにやらなきゃならんもんだから、けっこう忙しかったんだ」

「ああ、そうですね。社長には外まわりの仕事があるんだ」

「うん、風邪なんかひいておれんよ」

「いや、元気ならいいんですが……」

数日現場に顔を見せなかったら、こうして気にかけてくれる人がいる。沢井はありがたいと思った。心強くもあった。オレはオレ一人ではなくなってきたという実感があった。そんなことを感じながら仕上工程に入っていった。ここは協力会社の北村機械の社員が仕事をしている。安全帽に防塵マスクと防塵眼鏡をしているから、顔はほとんど見えない。グラインダーで金属を削る騒音で、声も聞こえにくい。

沢井の姿を目ざとく見つけて、北村工場長が眼鏡とマスクをはずしながら近づいてきた。

「おめでとう。今年もよろしく頼みます」

沢井は大声で怒鳴った。

「おめでとうございます。こちらこそよろしくお願いします」

挨拶を交わしている二人の姿を見て、作業員たちが仕事の手を止めて立ち上がり、眼鏡とマスクをはずした。

「ご苦労さま。おめでとう。今年もよろしくお願いします」

「ハイ、頑張ります」

「おめでとうございます」

あちこちから沢井に向かって頭を下げて、挨拶してくる。太宝工業の社員たちの挨拶よりていねいだ。沢井はとまどいながら挨拶を続けて、仕上工場の外へ出た。ちょうど、北村社長が仕上工場に向かってくるのに出会った。北村社長とは四日に挨拶を済ませている。

「北村さん。今、現場で息子さんやおたくの社員たちからていねいに挨拶されて、ビックリしました。仕事の手を休めて、眼鏡とマスクをはずし、人によっては安全帽まで脱いで……、どうかしたんですか」

「嬉しがっているんですよ、彼らは。私も正月になって彼らと顔を合わせてわかったんですが。沢井社長さん、あなた暮れの御用納めの夜、私の手をとって台の上に上げてくれたでしょう。私だけでなく他の三人の下請会社の社長も上げてくれましたね。それを見て、まるで自分が台の上に乗せられたように嬉しがっているんです。つまり、あなたがわれわれ下請けの者を一人前に扱ってくれたのが嬉しいんです」

「うーん。そういうことですか。実を言うともっと早くちゃんと指示して上がってもらうべきだったんですが、私の手落ちで、申しわけなく思っていたんです」

「いやいや、ともかくみんなの眼の前で、あなたはわれわれ四人の下請けの社長を台の上に上げて、太宝の役員さんや組合の三役の方と同等に並べてくれた。こんなこと初めてですよ。だから彼らは嬉しくて、そんなふうに挨拶したんですよ」

「そうか。そうですか。ありがとうございます。どうしたものかととまどって、いい加減な挨拶をして通ってきました。あとでみなさんによろしく伝えてください」

「ええ、言っときますよ。社長さん、頑張ってくださいよ。私らも頑張りますから」

「ありがとう。いっしょにやりましょう」

そのあとまわった職場でも、昨年までと違った変化が感じられた。とくに協力会社の社員たちが沢井に積極的に挨拶するようになっていた。彼らはだいたいにおいて請負賃金部分が多い。品質の良い製品だと楽をして収入が多くなる。品質が悪いと苦労して収入が少ない。だから流れてくる製品の品質には敏感である。これから後、沢井が彼らの職場を巡回すると、この欠陥はどこに原因があるというような、貴重な情報を流してくれるようになった。


安全環境部にかねて準備を指示しておいた部課長の合宿研修会が、一月十六日土曜の午後二時から翌十七日日曜の昼まで実施された。会場は会社から比較的近いところにある研修所を借りた。沢井以下取締役六名、部長級二名、課長級二一名の計二九名が参加した。

研修会といっても、外部から講師を呼んで勉強するわけではない。主たるねらいは沢井の経営哲学の徹底と、それを基礎にした本年度の黒字浮上体制の内容について討議することである。したがって十六日午後二時に開始してから約二時間にわたって、沢井の経営哲学とそれにもとづいて太宝工業内で彼が今までに実施してきた方策、そしてこれからやりたいと思っている方策を、沢井自ら話をした。沢井は詳細にレジュメと資料を作成して、熱心に話をした。

午後四時に小休止したあと六時まで、五〜六名の部課長に取締役が一〜二名加わった小グループに分かれて、沢井の話を叩き台に討議が行なわれた。沢井は各グループを巡回して質問に答えたり、討議に参加したりする。

六時から七時まで、夕食、休憩。七時から九時までふたたび全体討議で、藤村部長と大島部長がそれぞれ分担して、今年の目標による管理のあり方や、四月から実施予定の黒字浮上を実現するための全社的体質改善運動の内容などについて説明し、質疑、討議を行なった。

九時から入浴。全体会議の部屋で、テーブルと椅子を隅に押しやり、床に車座になって一杯が始まる。入浴を後にしてすぐ一杯始める者もおり、服装もまったく自由で、ピーナッツなどのつまみにコップ酒である。飲むほどにホンネが出てくる。次第にあちらに五人、こちらに四人というように小さな輪ができて、結局はさっきまでの討議の延長の議論になっている。いや、話はもっと広がって、会社の現実の問題が、よりホンネに近く取り上げられ、議論されている。昼間の教室の論理的な討議よりも感情の込められた議論だ。

沢井はこういう感情の込もったエネルギーを大切にしている。そういうエネルギーを昼間の公式の論議のなかに少しでも持ち込みたいのだ。酒と議論は果てしなく続き、十二時を過ぎる。和田課長が雰囲気を見ていて、終了宣言をする。

翌十七日は午前九時から十時三十分まで、昨日の論議に対する質疑と討議を全体会議で繰り返して、頭を整理する。三十分休憩後、十一時から十二時まで、二人の部長級と二一人の課長級が一人二分ずつ発表する。テーマは「私は明日から今までやらなかった新しい行動をこのようにやる」である。

研修を受けて勉強しても、それが現場に生かされないで終わってしまうことが多い。それでも新しい知識がついただけやらないよりましだと言える。だが、少なくとも沢井がねらっている研修は、太宝工業という組織の風土や行動を変革するための一つの手段として行なっている。だから日曜日に研修を終えてその翌日の月曜日から、今までやらなかった新しい行動を始めることが重要なのだ。

たとえば朝出勤したら「おはよう」と大きな声で言う、というような小さなことでもよい。あるいは今読んでいる戦略関係の経営書を、従来は読みっぱなしだったが、何月何日に要点をまとめ内容紹介をする、というような勉強に関するものでもよい。ともかくも新しい行動変化を一つ、二分間にまとめてみんなの前で宣言してもらうのである。二分間としたのは管理者にとって決められた短い時間のなかでいかにうまく話をするかも能力のうちとする考えからである。

初めての研修会で、いろいろぎごちないところもあったが、どうやら無事にスケジュールを終えて、一月十七日の昼食後解散した。この研修会自体が、太宝工業始まって以来の新しい行動であった。

部課長の合宿研修を終えて間もなく、一月二十二日の夕方のことである。朝からの雨が夕方からみぞれになった。現場をまわって、沢井は社長室に帰ってきた。石油ストーブに点火して、その前に立って身体を暖めた。みぞれでぬれた作業服から、もやもやと湯気が立つ。椅子に腰を下ろしてホッとひと息ついているとき、高野営業部長が飛び込んできた。

「社長、とれました。七割、認めてくれました」

挨拶もなく、いきなり大きな声をかけてきた。

「えっ……何だ。何がとれたんだ」

ほかのことを考えていた沢井は、一瞬何のことかわからなかった。

「社長、ほら、あの七〇%値戻しの件ですよ。アサノ金属さんが認めてくれたんです」

「おお、あれか。そうか、オーケーしてくれたのか」

沢井は思わず椅子から立ち上がっていた。

「はい、やっとオーケーしてくれました」

「うん、よかった。よく頑張ったな」

「はい、七回断られました。今日で八回目のネゴです。先月から約ひと月の間に八回です」

「うん……」

「先方さんも社内で何回も検討して大変だったようです。が、最後は浅野社長のツルのひと声で決まったようです」

「そうか。いつ僕の出番がくるかと思っていたが、いずれ近いうちに浅野さんにお礼を申し上げにうかがおう。それにしてもよくやったな」

「ありがとうございます。勉強になりました。今まで私は必死に頑張りますなどと言っても、三回ぐらい断られたら、諦めていました。私の必死というのは三回だったんです。でも、今度は社長が責任をとると言われたもんだから、そんなことになったらいけないと、失注しないように押したり引いたりしながら、なんと八回のネゴです。こんなこと初めてやりましたが、これからは三回ぐらいで必死なんて大げさなことは言いません」

「うん、本当によくやった。お礼を言う。この調子なら当社は必ず黒字になる。大丈夫だ」

「はい、必ず黒字にしてみせますよ。オレがやるですからね」

「そうだ、オレがやるだ」

「これから営業の連中に話してやります。彼らも気にしてましたから、きっと喜んでくれます」

「そうか、頑張ってくれよ。風邪ひかないようにな」

みぞれのなかを走り回ってきた高野の靴が、ドロドロに汚れていた。手にした折りたたみ傘から冷たい水が垂れて、床にたまっている。

高野が口ぐせにしている「営業マンは靴のかかとをすり減らしてかせげ」という言葉が沢井の頭に浮かんできた。それもそうだが、これからはそれだけでは通用しない、と沢井は思っていた。その考えは今でも変わらないが、靴のかかとをすり減らすだけでも大変なことなのだと、出て行く高野の後ろ姿を見送りながら、胸が痛む思いで沢井は感じていた。


その夜、アパートではなく自宅に帰って、遅い夕食を終えたばかりの沢井に電話がかかってきた。受話器をとった沢井の耳に、和田課長の声が入ってきた。

「和田です。夜分遅くに申しわけありません。研修を終えて、さっき帰って参りました。素晴らしい訓練に出さしていただきました。ありがとうございます。社長のお考えやいろいろなさっていることがよくわかるようになりました」

「そうか。よかった。君は必ず大きなお土産を持って帰ってくると思っていたよ。よかったな」

「社長が期待してくださるほどの成果がつかめたかどうかはわかりませんが、少なくとも自分にとっては十二分の成果がありました」

「そうか。うん、それでいいんだ」

「しかし、こんな訓練があったのなら、せめてもう一〇年早く受けておけばと思っています」

「うん、僕も参加したのは四〇歳だったから、同じことを思ったよ。しかしそれは言っても詮ないことだ。要は、今、その現実に立って、これからどう生きるかだ」

「ヒア、アンド、ナウ（Here and now 今、ここで）。勉強しました。ゼア、アンド、ゼン（There and then あのとき、そこで）。自分の人生を他人事のように生きてきました。そして、社長の『オレがやる』の根源がここにあるとわかりました」

「結構だ。太宝工業改革の原点はそこにある。今、君が感じている心をどれだけ早く、どれだけ多くの人に、どうやって伝えるか。それが当社改革の仕事でもある。安全環境部はその事務局の仕事をするのだ」

「わかります。今は、とてもよくわかります」

「ようし、君をこの研修に出したのは大成功だ。土曜、日曜とよく休んで、月曜日の朝僕の部屋に来なさい。ゆっくり話を聞こう」

「はい、月曜の朝、詳細にご報告します。嬉しくて待ち切れなかったもんですから、お疲れのところ電話しました」

「いいんだよ。それでいいんだ」

和田は、沢井の指示でＳＤ訓練（セルフ・デベロップメント訓練）に参加してきたのだった。沢井ははるか昔、この訓練が日本で始められて間もなく参加して、大きな衝撃を受けた。これは知識を与える講義ではなく、心のあり方や生きざまに関する内面の訓練である。したがって、こういう文章でその内容を説明するのは非常にむずかしい。

ただ、沢井は四〇歳のときこれを受けたのだが、それ以後の沢井の生きざまに、この訓練が大きな影響を与えたことは確かだ。少なくともそれ以前より、沢井の自由度が高くなり広がった。同時に自由に対する責任、主体性が強く意識されるようになった。つまり沢井は、より自分らしくなったのである。

以来彼は職場のなかで、これぞと思う部下に参加をすすめ、いずれもよい成果を上げてきた。そこで、この太宝工業の組織活性化の一つの手段として、ミドルのなかから逐次人選して、この訓練に参加させることを考えた。その一番手として和田課長を参加させたのである。

だがこういう外部の公開セミナーは、一年に何回しか開かれない。沢井のようにごく短い時間で組織を活性化しようとする者には、間に合わない。そこで沢井は、同種のＴＡ訓練（トランザクショナル・アナリシス、交流分析訓練）と並行して、活用していく考えであった。

昨年までは、花壇作りだの、瞬間最大風速だの、部課長の賃金カットの廃止だの、そして社章の切り替えだのと、沢井は思いつくままにバラバラに組織活性化の方策を打ってきた。しかし最近になっていろいろな人びととの協力や提案を受け入れながら、このような訓練への参加も含めて、かなり体系的、計画的に組織の活性化に向かって手を打てるようになっていた。

和田課長が電話してきた翌日、土曜日の朝、起きると外は一面の銀世界であった。夜のうちに降ったらしく、二〜三センチさらっと積もって、今はきれいに晴れ上がった朝日に雪がキラキラ輝いている。土、日の連休である。沢井は久しぶりに雪の庭に出てみた。

庭といっても文字どおり猫の額だ。その小さな庭をうまく使って、つくばいや踏み石が配置されている。お茶をやっている妻の工夫であった。雪をかぶったつくばいの上に紅梅の枝が伸びている。踏み石を注意深く歩いてその枝に近づく。朝の陽差しに溶け始めた雨だれの音がする。

沢井の眼の前に紅梅の細い枝があった。枝の上に白く雪が積もっている。雪と枝の接触している部分は凍って、透明の氷になっていた。その氷のなかに紅い蕾が三つ、四つ、五つ、並んでいる。

――ほう。氷のなかでも花は生きているんだ。

沢井はポケットから老眼鏡を取り出して、あらためて顔を近づけた。細い枝の上、白い雪の下、透きとおった氷のなかに、マッチ棒の頭より小さな紅い蕾が、息をひそめて並んでいる。沢井の心は、その氷の透明な世界に吸い込まれていった。

「もう蕾が出ているでしょう」

座敷から庭をのぞいて、妻が声をかけてきた。

「あなたはここのところ忙しくて、ゆっくり庭を見る時間もありませんでしたものね。この庭のあちこちに、もう春の知らせが来ているんですよ」

「……そうか。もう春になるのか」

「ええ、今日、あした、連休ですから、久しぶりに庭の草木を相手にゆっくりなさるといいわ」

「うん、そうするか」

沢井の心が、すっと楽になった。妻に声をかけられるまで、庭を見てもどこかに緊張を残していた。

「ところで、子供たちは……」

「寝てますよ、二人とも。まだ八時前ですもの、休みの日に起きるものですか」

「ふうん、そうか。寝ているか」

息子が大学三年、娘が一年。中学、高校時代はいろいろあったが、大学に入って、二人ともすっかりおとなになった。沢井のほうが子供たちからいたわられるようになっている。

「そうか、まだ寝ているか」

独り言を言いながら、氷のなかの紅い蕾の美しさに見とれている。子供たちがどんな花に咲いてくれるか。太宝工業のあちこちの花壇に芽が出て、花が咲いて、黒字になるか。チラッと浮かんだそんな考えがすぐ消えてしまうほど、氷のなかの蕾は可憐であった。

第8章

ベテラン社員、ついに動く

【2月】——組織が生まれ変わるとき

この冬は寒い日が続いた。関東のカラッ風と呼ばれる乾いた西風が、砂ぼこりを巻き上げて吹きつける。寒がりの沢井には、厳しい冬であった。

夜アパートに帰ると、真っ暗ななかを、手探りで電灯をつけるところから始めなければならない。冷えきった部屋のなかで、オーバーコートを着たまま石油ストーブに火をつける。それから、やかんに水を入れてガスコンロに乗せる。これだけのことをやってから、沢井はタバコを一服する。

社員の誰かが、何かつまみをぶら下げて遊びに来るときは賑やかだが、そう毎晩来るわけではない。一人で食事をする。テレビを見ながらの食事だ。

テレビの人声はしているが、沢井と話している人声ではない。人声が流れ出てくるテレビを見ながら、沢井は黙々と一人で食事をとる。冬の夜は苦手だ。いろいろな花が咲き出す春が来るまで、まだまだ当分沢井の嫌いな日が続く。

だがその寒い冬のなかで、沢井はひたむきに働いていた。この二月の大きなイベントの一つは、二月五日金曜から七日の日曜にかけて行なわれた、係長級の研修であった。その内容は、基本的には先月行なった課長級の研修と同じであったが、前回の経験で時間が足りなかったという意見が強く出されたので、今度は二泊三日の合宿にしたのだった。

二泊三日といっても一日目の金曜日は、会社を午後四時に切り上げて研修所に入り、夕食後六時から始まる。八時まで二時間、沢井がその哲学、経営理念、今年の全社目標と、オレがやる、協力する、明るくするの三方針、そして全社目標を達成して黒字浮上するために、四月から実施しようとしている全社的体質改善運動の構想などについて話をする。話のあと、九時まで一時間質疑応答。九時からは例によって車座になってコップ酒になる。

二日目は朝九時から十二時まで、昼食後一時から五時まで、入浴、食事後、七時から九時まで、四つの小グループに分けて突っ込んだグループ討議をする。テーマは「黒字浮上をより効率的に達成するために、社長、部長、課長たちに望むことと、自分の職場で何をやるか」である。

全体の進行状況や雰囲気を見ながら、和田課長がときどき全員を集めてコミュニケーション・ゲームをやる。コミュニケーションのあり方について勉強しながら、ゲームとしての遊びを取り入れてリラックスさせるのである。そしてこの夜も、九時からはコップ酒になる。

三日目の日曜日は、朝九時から全体討議で、まず四つのグループごとにとりまとめた社長、部長、課長たちに望むことを発表し、質疑と討議を十一時まで実施、十一時から、各人は「明日から今までやらなかった新しいこととして何をやるか」を二分間で発表し、昼食後解散。

だいたいの内容はこんなところである。手の空いている上司はオブザーバーとして協力参加してもらいたいという沢井の希望もあって、夜と土曜、日曜は部課長たちがかなり出てくる。

研修というと堅苦しいイメージがあるが、沢井のねらう研修はかなり違う。和田課長のコミュニケーション・ゲームや夜のコップ酒、事務局の大島部長と和田課長の雰囲気作りもあって、研修というよりはイベントだ。大島はお祭りと称している。

研修を終えて、翌週沢井が現場を巡回する。あちこちで研修を終えたばかりの係長級と顔を合わす。

「ご苦労さま。研修で休みまでつぶして申しわけない。疲れたろう」

「いやあ、疲れなんかより、驚きました」

「驚いた？　何が……」

「研修っていうから、何かむずかしいことを勉強させられるのかと思っていましたが、和田さんのゲームは面白かったし、夜は酒のませてくれるし……」

「なんだ、息抜きのほうだけじゃないか」

「いや、いや、うちのグループは六人だったけど、朝から夜まで一つのテーマで延々と話し合うなんて初めてですが、やってみると時間が少ないぐらいで、やっぱり会社の基本的な体制というかあり方の問題なんかを検討するのは、一時間や二時間の会議ではダメで、ああいう場所でかなり時間かけなきゃダメだってよくわかりました」

「そうか。それはよかった」

「夜の酒も、部長や課長もかなり出て来ているし、うちの会社では社長以下ほとんどの管理職が、ふた晩も酒飲んで話し合うなんて、それこそ初めてのことですからね」

「うん、今までやらなかった新しいことをやり始めたんだ」

「そう、それですよ。あの研修そのものが新しい行動だった。だから、研修の最後の『オレはどういう新しいことを始めるか』というのも、わりに素直に受けとめられたっていう感じですね」

「ようし、結構だ。三月の監督層の合宿研修に、手が空いたら応援に来てくれ」

　このような受けとめ方の係長級が多かった。沢井の独りよがりかもしれないが、この研修後、係長級が会社全体を考える傾向が強くなったこと、したがって、四月以降の全社的体質改善運動のあり方に対する積極的姿勢が出てきたように感じられた。

この研修ではほかにも大きな収穫が一つあった。それは全社的体質改善運動が平均巡航速度で月に二〇〇トンを生産し、売上高三億円以上を実現して黒字浮上するために具体的にどうするかということに、あるグループの議論が集中したときのことである。去年十一月に二四〇トンやって三億二〇〇〇万円の売上げで、六〇〇〇万円黒字になった。あれをもっと楽にやればよいのだ、とその方策を追求した。

そのとき、いわゆる名人芸の持ち主で、エライさんになって事務所にデスクをもらった人から、あのときは見てられなくて、オレたちも現場に飛び出したなあという話が出た。いろいろ話し合った末に、デスクを現場に置いて作業するという案を、このグループは結論の一つとした。

翌日の朝の全体討議でこの問題が討議され、一二人の該当者が全員了解した。もちろん、これは研修の場であって、会社としての公式の決定の場ではない。したがって正式には会社に持ち帰って所定の手続きを経て決定されることになる。しかし、四月から平均巡航速度で月二〇〇トン生産するための一つの有力な手段が、事実上この研修の場で決められたといってよい。とりわけ昨年十月の組織改正において、これが実現できなかった沢井や藤村にとっては大きな成果であった。つまり、十月以来四か月わたる努力の甲斐があったのだ。

係長級の研修を終えるとすぐ、沢井はその盛り上がった雰囲気を利用して、四月からの全社的体質改善運動の内容を構築するために、集中的に努力した。すなわち、事務局案を部長会議にぶつけ、そこでだいたい固まってきた案を、課長会議や管理職会議に説明して意見を出してもらい、それらを参考にしながら案を修正していくという作り方を、繰り返して固めていったのである。

課長以上の課長会議や、係長級以上管理職が出席する管理職会議は、前者が約三〇名、後者は約五〇名の大会議のため、従来は上からの一方的伝達会議であったが、一月と二月の研修後は、かなり雰囲気が変わった。従来の儀式のような冷たい固さがなくなって、かなりくだけた暖かい雰囲気になり、発言も出るように変化した。

それは研修だけの成果ではなかった。太宝工業の組織と人間関係のあり方自体が、そのように変化しかけていたのである。

沢井はこれらのステップを踏みながら、この段階では、全社的体質改善運動の内容を大要次のような形にまとめた。

(1) 社員の生活を安定させるために、当社を黒字浮上させ、かつその黒字を定着させる。

(2) その具体的な目標は、次のとおりである。

①安全第一——休業災害ゼロ

②黒字達成——今年度経常利益一億円以上

(3) この目標達成のための社員の行動指針。

①オレがやる

②協力する

③明るくする

(4) 以上の全社目標は、一月以来の話し合いによって、すでに部課長の目標に具体化されている。係長以下はそれらの目標達成を中心に行動する。

(5) 以上の目標達成をより効率的に(より早く、より楽に)するため、次のような諸活動を実施する。

①管理能力を高めるための管理職合宿研修その他の諸研修
②管理職レベルにおける問題の発見と解決をするための小集団活動
③監督者以下のレベルではQCサークルを中心とする小集団活動
④かねて親会社の援助を得て実施中の物流改善プロジェクト・チーム活動
⑤かねて当社内でテスト中のパレット管理方式の実現活動
⑥今後実現を検討すべき課題として、直間比率改善(一二名の係長級社員の現場投入)と変則二交替制など

以上のすべてと、さらにこれから追加される諸方策を総合して全社的体質改善運動とする。

沢井以下全管理職に共通した認識として、以上の内容がほぼ理解されるようになった。沢井はただちに安全環境部に対して、この運動の目的や内容を示して、それにふさわしい運動の名前を賞金をかけて募集するように指示した。

また、沢井は、下からの提案が非常に増えてきていることを再確認した。たとえばパレット管

理方式は、製造部の鋳鋼課長、加工課長、検査課長の三課長による共同提案であるし、直間比率の改善は、該当者たちからの提案である。そして変則二交替制は、総務課長からの提案であった。さらに小集団活動のあり方や合宿研修のやり方などについても、具体的な提案が積極的に出されている。

つまり、昨年までは管理職の賃金カットの廃止も花壇作りも社章の切り替えも、その他のいろいろな施策のほとんどは、沢井が思いつき、上から実施してきたものが多かった。

しかし、年が明けて、目標を展開し、管理職の合宿研修を実施するにつれて、次第に下からの提案が増加し、沢井は自分でアイデアを出さなくても済むようになってきている。つまり目標の展開によって、組織のメンバーたちが自分の位置と役割を明確に認識したことと、合宿研修によって意欲づけられ自発的になってきたことが、こういう形で現われてきたようである。沢井一人の思いつきで手を打つことの多かった昨年に比べて、その意味では打つべき手が体系的、計画的になってきたことを、沢井はあらためてはっきりと認識したのである。

この月の朝礼のあり方もそうであった。「安全ニュース」は今月から八ページになった。沢井が毎月話してきた前々月の確定月次決算、先月の推定決算、半期の予決算などの数字は「安全ニュース」にのるようになった。だから、先月もまた相当な赤字になりそうだという程度に沢井は話すだけで、具体的な数字は「安全ニュース」を見るようにと省略することができる。数字だけではなく、「安全ニュース」の記事によって沢井は話をかなり省略することができるようになってきている。その「安全ニュース」を四月から一二ページに増大したいと安全環境部から話が出ている。

このように進むべき方向が明らかになり、やる気が強まるにつれて、沢井が黙っていても組織の各セクションが自発的に動き出してきているのだった。組織が動き始めた——と、沢井は感じとっていた。

二月十日の午後、沢井は例によって現場を歩いていた。今では協力会社の社員たちも含めて、「おはよう」とか「ご苦労さん」という沢井の声に、ほとんどの人が笑顔で挨拶を返すようになっている。

だが二〇〇名余りの人びとのなかで、ところどころに返事もせず、いまだに沢井と言葉を交わしたことのない人が何人かいた。

人間いろいろだ。二〇〇人もいると私と肌が合わない人もいれば、なかには私を嫌っている人もいるかもしれない。あるいは無口な人、口下手で人と話すのが苦手な人もいるだろう——と沢井は考えていた。そういう人のそばへ行くと、黙々と仕事をしているその人の背中に「ご苦労さん」と声をかけて、返事を期待せずに、沢井は通りすぎていく。

この日も、鋳造工場の造型の職場に来た沢井は、小林研三という作業員の背中に「ご苦労さん……」と声をかけて、そのまま通りすぎようとした。彼もまだ一度も話したことのない人の一人であった。

しゃがんで砂型の手入れをしていた小林が、慌てて立ち上がった。沢井はすでに数歩先へ行っている。小林の顔が緊張し、真っ赤になった。工場内の騒音を突き破って、小林が大きな声を出した。

「社長！」

沢井の背中がビクッとして、止まった。ゆっくりふり返った沢井の前へ、小林が近づいた。

「小林君か。どうした。何かね」

「あのう……う、オレ、あんたの本を読んだよ」

「え、私の本を……」

「うん、この間の日曜日、用事で駅前へ出て、本屋に入ったら、そうしたら、あんたの本があったから」

「買ってくれたのかね」

「うん、買った。なんたってうちの社長が書いた本だもの」

「で、読んでくれた」

「読んだ」

「どうだった」

「うん、面白い。仕事だけじゃなく、生活していくうえでも役に立つ。勉強になった」

しばらく本の内容についての話が続いた。

話していることは本のことだった。だが沢井の心のなかには全然別のことが伝わってくる。

小林は、沢井を嫌って話をしなかったのではない。むしろ沢井と立ち話がしたくてしょうがなかったのだ。

だが中学卒ですぐ仕事につき、真面目一本槍に固く生きてきた小林にとって、沢井という男はあまりにもかけ離れた存在だった。東大卒、親会社からの出向社長、経営管理に関する著書も何冊かある勉強家――沢井は雲の上の人で、とても対等に話はできない。少なくとも常日頃仲間や家族と話している低次元の話題では、社長に失礼になる、とこの真面目な男は考えたのだ。

何か高級な話題を探して……と思っているところへ、沢井の本を見つけた。これだ。この本を話題にすればよい。とうとう見つけたぞ。小林は喜んでその本を買い、読んだのだった。そして沢井と話のできるときを待っていた。

ところが沢井のほうは、どうせ返事もしない人間だとレッテルを貼って、ご苦労さん、とひと声かけて、足早に通りすぎてしまう。沢井の気づかぬ間に、何回か声をかけようとしてためらったにちがいない。そこで今日、通りすぎた沢井の背中へ、勇気を出して大声で呼び止めたのだ。やっと社長と話ができた。オレは今、こうして向き合って、社長と話しているんだ――。小林の熱っぽい心が、沢井のなかにどんどん流れ込んでくる。話の中身なんかどうでもいい。

――今日家へ帰ったら、女房や子供にオレは言う。

「今日オレは社長と話したんだ。二人だけで向き合って、対等にな……」

小林のこんな気持ちもつかめないで、オレが嫌いなのか、それとも無口な男か、と一方的に決めつけてレッテルを貼ってしまった自分の固い心が、沢井は情けなかった。人間二〇〇名もいれば、オレを嫌う人が何人かいるのが当り前と、自分に都合の良い言いわけをこしらえる。

何百人いたって、すべての人をこちらから好きになっていけるような人間になれないのか。砂だらけの汚れた顔のなかで、眼と歯を白く輝かせて、いきいきと話しかけてくる小林を見ながら、沢井は痛切な反省におそわれていた。ＳＤ（セルフ・デベロップメント・トレーニング）やＴＡを含めて勉強を積み重ねてきたつもりのオレが、この程度なのか。五〇年の人生、オレは何を勉強してきたのか。

それから数日たった土曜日の午後、沢井は社長室で和田課長といっしょに、生産管理課長の平井正勝の話を聞いていた。平井はＴＡの「基礎コース」という二泊三日の訓練に参加して、帰ってきたところだった。大学出の技術者だが、人間の内面の問題にも関心を持っていて、沢井がミドルから適切な人間を選んで逐次ＳＤ訓練やＴＡ訓練に参加させる考えを持っていることを知ると、すぐに手を上げて、ＴＡの基礎コースへ出席してきたのだった。

「そういうわけで、この、コースはまさに基礎コースというか入門コースというか、先生が理論をレクチャーしながら、ところどころで体験学習を織り交ぜていきます。私のように本を読んで理屈から入っていくことに慣れている者にとっては、大変入りやすいコースだと思います」

平井課長がいかにも技術系のスタッフらしい冷静な声で言う。だが平素の平井を知っている沢井や和田にとっては、彼の一見冷静な声の底に、彼なりの感情の燃え上がりを感じている。平井は先ほどからの報告のなかで、ＴＡでいう批判的ペアレントが予想以上に強い自分を知って愕然としたこと、つまり冷静に客観的にものごとに対処することが、技術者として正しいことと思って生きてきたが、その生き方が、人間関係においては批判的で冷たい規律を他人に押しつけることになっていることを初めて認識したという体験について、詳細に話したのだった。

「TAではフリー・チャイルドというのですが、もっと自由で開けっぴろげな状態が私には必要だったのだと、知りました。そう知ったらとたんに何か肩の力が抜けて、楽になりました。今まではこうしてはいけない、ああしてはいけない、こうあるべきだって、いろいろ自分で自分をしばりつけていたんですね」

「うん、自分をしばるだけじゃなく、他人もしばりつけようとしていた」

「そう、和田君の言うとおり。女房や子供、会社では同僚や部下という他人まで、自分が勝手に作ったルールに従わせようとする。他人が従わないと、不機嫌になって、イライラする。今までずいぶん無駄な神経を使ってきたもんです」

「そうか。基礎コースの二泊三日でそこまでつかめば立派なもんだ。で、どうかね、この種の訓練に、これからミドルの人を逐次出してみようと思っている。それがこの太宝工業の組織の活性化に役立つと思っているのだが」

「社長の考えておられるとおり、役に立ちます。ぜひ、出してやってください。それから、これは私のお願いですが、基礎コースだけではなくて、もう少し突っ込んだコースにも出さしていただきたいんですが」

「うん、それはかまわないが、具体的に何かあるのかね」

「はい。四月にライフ・アドベンチャー・コースというのがあります。これにも出させていただきたいのです」

「うん、どうかな。和田君どう思う」

「ほかの人を出して、目下のところはうちの組織のなかにできるだけ早く体験者を何人か作りたいところですが、まあ、本人が見つけてきて、行きたいというのですから、しょうがないのではありませんか」

「そうか。じゃ、二重投資をするか」

「はい、ありがとうございます。では、四月に行かせていただきます」

平井課長は喜んで出ていった。

二月十七日と十八日の二日にわたって、親会社の電子事業部の見学を行なった。この事業部は名称のとおりエレクトロニクス関係のさまざまな仕事を手がけており、QCサークル活動をもっとも盛んに実施している部門であった。太宝工業からバスで一時間半ぐらいのところにある。

太宝工業では社員を二つに分けて、半分ずつ日帰りで見学させてもらった。これは、四月からスタートする全社的体質改善運動の一環として、QCサークルを中心とする小集団活動を行なうために、何はともあれ、百聞は一見にしかずと、見学させてもらうことにしたのである。

「職場に掲示してあるグラフなど漫画入りでカラフルに、いかにも楽しげに作られている。楽しみながらサークル活動をやろうとしているようだ」

「見学していて、われわれにもこんなことがやれるのかと不安になったが、スタートしてから六年たつと聞いてホッとした。われわれだって五、六年頑張ればかなりなことがやれるだろう」

「自分の息子か娘ぐらいの年ごろの人たちが、サークルのなかで協力しながら目標を達成していく姿が見られた。最近の若い者もけっこうマジメにやるもんだと見直した」

見学を終えて帰った人びとの感想である。

電子事業部は中卒、高卒の若い人が多く、時代の先端を走る工場である。中高年男性の多い鋳物業の太宝工業の人びとからは、同じメーカーといいながら、別世界を見る思いがしたようである。出張して外を見るチャンスのあるミドルと違って、一般の作業員たちは他社をほとんど見たことがないため、QCサークルの問題だけでなく、もっと広いさまざまな刺激を受けて帰ってきた。

この刺激が消えないうちに、QC七つ道具その他の勉強会を社内で開催した。一方、サークルのリーダーとなるはずの監督層を、逐次外部の訓練に出して、リーダーの養成をはかった。

こういう動きは、安全環境部と総務部が協力して推進していた。もう沢井はあまり細かい具体的なことを考える必要はなくなってきている。組織は動き始めたのだ。

二月下旬、強い西風のなかを、寒がりの沢井は首をすくめるようにして現場歩きをしていた。これは鋳造工場の巡回を終えて、南側のドアから外に出、すぐその先のトイレに入ろうとした。そのトイレに入ろうとして沢井は入り口でためらった。

一番メインの鋳造工場で働く人たちのトイレで、もっとも古く建てられていた。そのトイレに入ろうとして沢井は入り口でためらった。

ペンキは剥げ落ち、ところどころ破損して、まさに廃屋の姿である。奥の戸が強い西風にあおられてバタンと音を立てている。ゆっくりと歩いて戸を閉める。取っ手にさわった指の汚れが気になった。

用をたしている沢井の頭に、総務の井原課長の声がよみがえってくる。昨年秋の井原課長との個人面談のときのことである。最後に井原が遠慮しながら言った。

「一つお願いがあるのですが……」

「うん、何ですか」

「実は長年業績が悪いもんですから、福利施設、つまり食堂とか浴場、更衣室、各所にあるトイレなど、こういう設備が修理もできずにほっぽらかしになっています。担当の者として気になっているんですが、生産設備にさえカネをかけられない現実ですから、私も長年我慢してきました。しかし、一か所、鋳造工場の裏のトイレだけは限界です。これだけはできるだけ早く何とかしてやりたいと思っています。どうかお含みおきいただきたいと思います」

何か悪いことをしたような、めんぼくなさそうな話しぶりだった。

そして面談後一週間以内に出してもらったメモにもこのことが書いてあった。

沢井はこのことを忘れているわけではない。たしかにこのトイレはひどい。赴任直後一番初めに気になったトイレでもある。だが、工場のなかをまわってみると、他のトイレもかなりひどいのだ。浴場も浴槽のタイルが剥げて、足やお尻にタイルの角があたる。食堂のテーブルも椅子も、これではどんなご馳走も味が落ちてしまうと思えるようなものだ。

そんななかで、鋳造工場のトイレだけ良くしたら、他の人たちはどう思うか。かといってこれらのすべてを良くする余裕はまったくない。だいいち、大赤字のなかではないか。黒字になってからだ。こんな考えで、ズルズルと今になってしまったのだ。

今、沢井は用をたしながら不快感を味わっている。鋳造工場で働いている人たちは、毎日、この不快感を味わっているのだ。他の各所にもいろいろ問題はあろうが、このトイレが最悪であることは事実だ。黒字になったらというのは逃げ口上だ。とにかくここだけは何とかしよう。うん、そうだ、朝礼で話して、みんなの了解をとろう。

工場巡回を中止して、沢井は事務所へ帰った。そして総務の藤村と井原のデスクに行った。

「井原君、いつか君が言っていた鋳造工場のトイレ、建て替えたいところだがそうもいくまい。最小限の補修でいくらかかるか、至急見積りをとってくれないか」

沢井の顔を見上げて、井原が嬉しそうに笑った。

「社長がいつ言われるかと待っていました。いつでもやれるように、新しい見積りをとってあります。これです。六八万円です」

「うーん、そうか。六八万円か」

「今のペンキを落として、あちこち手直しして、新たにペンキを塗る。最小限ですが、まあ、見た目にはきれいになります」

「よし、六八万円。しかし、予算外だね」

「そうです」

「藤村君。すまんが、六八万円、予算外で使わしてくれないか」

「それはかまいませんが、しかし、ここだけ手を入れると、他のところとのバランスが……」

「うん、そこまではできない。だから、三月の朝礼でみなさんの了解をとろうと思う」

「ほう、朝礼でですか」

「うん、その前に、部長会議などでも話して、了解をとっておくつもりだが」

「そうですね。予算外のカネを使うことですから、やはりそれなりの手続きを踏むようにしておいたほうがいいですね」

「うん、そうだ。あまり勝手なことはやってはいかん。井原君、そういうわけだから、手続きを踏んで、三月一日の朝礼で、社員のみなさんが了解してくれたらただちに実施する。工事のほうにも段取りがあるだろうから、あらかじめ連絡をとって、決まり次第すぐやってくれるようにしてくれたまえ」

「はい、そのへんはきちんと手配しておきます」

井原課長の眼がいかにも嬉しそうであった。

第9章

月産2000トン体制に向けて

【3月】——人が燃え、組織が動く

三月になったが、あいかわらず寒さが厳しかった。乾いた西風がとくに午後から強く吹き、関東ローム層の赤茶けた砂塵が、空の色を変える。

風邪が流行して、咳をしながら仕事をしている社員が多い。沢井も風邪にやられた。熱が出て、頭に膜がかかったようになった。しかし休んではいられない。三月一日の朝だ。沢井はマイクを持って、咳をしながら、大要次のような話をした。

(1) 一月は販売量一三二トン、売上高二億四二〇〇万円で、一三〇〇万円の赤字であった。そして二月も、ほぼそれに近い結果になりそうである。

(2) このようにあいかわらず赤字の現状だが、各所に良い方向へ向かっている兆しが見られる。この兆しをもっと確実なものとするため、前から言っているように四月から全社的体質改善運動を展開する。その内容については、運動の名称、標語、ポスターの募集案内に書いておいた。もう一度それを読み直して、一人でも多く応募してほしい。

(3) その運動をひと言で言えば、生産量月二〇〇トン、売上高三億円以上で、損益分岐点の黒字確実線を超えることである。そのためには営業部門が販売価格を一〇%以上アップし、製造側でコスト一〇%以上ダウンする。これができれば確実に黒字になり、今年度一億円以上の黒字という全社目標を、確実に達成できる。

(4) ただし、安全第一——休業災害ゼロがあくまでも第一目標である。たとえ第二目標の黒字が達成されても、一方で社員が怪我をしたり、最悪の場合死亡者が出るようなことがあっては何にもならない。会社はみなさんの幸せのためにある。みなさんは作業をしていて、もし危険を感ずるようなことがあったら、いつ機械をストップさせてもよい。そのため会社が休止損失をいくら受けてもかまわない。

しかし、逆に会社がやる安全教育をサボッたり、上司の安全の指示を守らなかったりする人は、殴っても蹴ってもよい、安全のためには暴力ありと管理・監督者に言ってあるから、承知しておくように。当社で安全第一というのはそういう意味である。

⑸ 四月から始まる全社的体質改善運動は、当社の最後の戦いである。お正月以来積み重ねてきた検討や勉強の結果としての総力戦体制であって、これでなお黒字にならなければ、当社に未来はないものと覚悟してもらいたい。

沢井は時折り咳に苦しみながら、思いを込めて話した。食堂のなかは社員でいっぱいだった。熱い人いきれでムンムンしていた。

「最後に一つ、みなさんのご了解を得たいことがあります。それは、鋳造工場の南にあるトイレのことです。当社は長年の赤字のため、このトイレにかぎらず、他のトイレも浴場も食堂も、どこもここもかなりひどい状態になっています。私は早く黒字にして、こういうところを少しでも改善したいと思ってきました。

しかし、鋳造工場の南のトイレは特別だ、あれは一番古い建物なんだから、これだけは早く何とかしてくれ、と総務の井原課長が昨年から私に言ってきています。私も、黒字になってからではなく、こういうところを改善していくことで黒字になっていくのだ、と考えました。そして何よりも、たしかにあのトイレはひどすぎます。

そこで井原課長に見積りをとってもらったら、六八万円かかるそうです。みなさんにお願いし、ご了解を得たいことは、赤字のこの苦しいなかだけれど、予算外で、六八万円をこのために使うことを認めてもらいたいということです。そして、そのほかのところはもう少し待っていただきたい。この二つの点について、ご了解を得たいのです」

食堂の片隅から、パチパチと拍手が起こった。そして、それはみるみる全体に広がった。

「ありがとう。ではやらせてもらいます。しかし、この六八万円の一〇倍、二〇倍、いやもっと稼ぐ努力を、一方でしていきます。みなさんもどうか協力してください」

ふたたび拍手が起こった。強い、激しい拍手であった。社員たちが自分を強く支持してくれているのを沢井は感じていた。昨年七月に沢井の赴任を迎えたときの、あの死んだようなうつろな眼はもうなかった。人びとの心は燃えていた。そして組織は、沢井の望む方向へ動き出している。

その具体的な姿は、四月から始まる上期予算の編成のなかにも現われていた。対前期予算販売量一二五%、売上高一三〇%、経常利益四二〇〇万円黒字の予算案が作られている。

下期の予算は四二〇〇万円の赤字予算であった。その下期予算を編成するとき、沢井はせめて損益トントンの予算を作るよう話した。しかし、そんな架空の予算を組んだってどうせ実現できないのだからと、大部分の部課長に反対されて、結局四二〇〇万円の赤字予算になったのだった。

この三月の期末を目前にして、四二〇〇万円を大幅に上まわる赤字の決算予想だから、結果はその人たちのほうが正確だったのだが、初めから赤字しか考えない、あるいは赤字の予算を平気で組む部課長たちの心が、沢井には恐ろしかった。

だが今度は違う。多くの人が何とか黒字の予算を組もうとした。販売量を一気に二五%もアップし、売上高を三〇%増大する。そして製造のほうもかなりコストダウンを見込んでいた。正直のところ、この予算が実現できるのか、今の時点では、沢井は自信がなかった。

しかし、下から積み上げてきた予算をまとめると、そういう結果になるのだ。みんなはそれをやると言っている。本当のところは沢井と同じで、みんなにも自信があるわけではあるまい。しかし、多くの人がやる気になり、この予算に勝負をかけている。この賭けに人びとが心を燃やし、組織が動き出しているのである。

この予算編成過程の変化は、沢井だけでなく岡田常務や藤村部長も同じように感じとっている。

「今度の予算は必ず実現しますよ。手応えが前期と全然違います」

「現場が変わりました。不良率も減ってきました。生産量だけでなく、品質も良くなっています。パレット管理方式も次第に拡大されて、納期がだいぶ短くなっています。大丈夫です。必ず黒字になります」

岡田と藤村の顔にも力強さが感じられる。

三月八日、早くも補修が終わって、きれいにペンキを塗られたトイレを見て、沢井は裏口から鋳造工場へ入った。阿部鋳鋼課長が監督者と何か話していたが、沢井の姿を見て近づいてきた。

「社長、ご苦労さまです。今日は変なところから入ってこられましたね」

「やあ、ご苦労さん。例のトイレができたって言うから、それを見て、裏から入ってきたのさ」

「そうですか。トイレはみんな喜んでいますよ」

「そうか、それは良かった。あ、そうだ、ちょうどいい機会だから勉強させてもらうよ」

「何ですか」

「岡田常務も言っていたが、不良率の減少など最近品質が向上しているが、経営学のほうで、モラールが向上すれば生産性も上がると教科書に書いてある。しかし、品質まで向上するのか。モラールと品質の関係は相関するのか。僕はそのへんがよくわからないんだが、君はどう思うかね」

「経営学なんておっしゃるからむずかしいことを言われるのかとビビリそうになりましたが、そんなことですか。答えは簡単です。社長、モラールが上がれば品質は向上するのです」

「ほう、自信たっぷりだな。僕のような事務屋にも証明できるかね」

「ええ、簡単です。こちらへ来てください」

沢井はトレイと称する製品の砂型が並んでいるところへ案内された。トレイというのは自動車の部品を焼き入れするときの台になるものである。大小さまざまなタイプがあるが、要するに障子の桟のように格子状になっていて、その格子の交点に部品を吊る支柱が立てられるように輪が作られている。その輪の部分を鋳物で作るには、まず砂型のほうに穴が作られる。その穴のなかに中子《なかご》と称する砂で作った筒状のものを入れる。溶かした金属を注ぐと、穴の外側と筒状の中子の間に金属が流れて、そのまま冷えて固まって輪ができるのである。大きなトレイになると一枚に一〇〇個ぐらいの輪が作られる。つまりその数だけ、中子が穴のなかに一つずつ入れられているのだ。

「どれでもいいですから、中子をつまんで上にあげて、穴のなかをのぞいてみてください」

「うん」

周りの砂を崩さないように沢井は中子の一つをつまんで、慎重に引き上げた。穴の底をのぞいてみる。底の砂に穴が一つ開けられている。

「穴が開いているでしょう」

「うん、開いている」

「じゃ、今度は別のところ、どこでもいいですから同じように中子を取って、のぞいてみてください」

「……」

「どうですか」

「うん、こっちも開いている」

「その穴はですね。ガス抜きの穴なんです。金属を炉で溶かした湯は、砂型に注湯されます。その湯は湯道を通って砂型の型に沿って流れ、冷えて、固まります」

「うん」

「注湯したときにですね、ガスが発生します。そのガスが外に抜けないと、製品のなかに残って、いわゆる『す』ができるのです。つまり仕上工程で手直しを要する不良部分になるわけです」

「そうすると……」

「そうです。もうおわかりでしょうが、最近まで赤字続きでみんながやる気を失っていたときは、作業員たちはこの底に穴を開けるのをよく手抜きしたのです。このトレイのように一枚につき一〇〇個も中子を入れる砂型を、一人の作業員が二〇枚一日に作るとしたら、穴の数は二〇〇〇個です。五人の作業員が同じものを作ったら、一日に一万個の穴です。この底の穴開けをチェックしようとしたら、一度入れた中子を、社長が今したようにいちいち引き抜いて、底に穴が開いているのを確認する作業が必要になります。あるいは中子を入れるのを待たしておいて、監督者が底の穴を確認してから中子を入れさせるということになるわけです」

「うーん」

「一日一万個か数千個です。監督者がいちいちチェックしていたら、それだけで監督者の仕事は終わってしまいます。だから、こういう仕事は作業員の良心というか、自発性というか、やる気に任さざるをえないのです」

「うん、たしかにそうだ」

「それが今ご覧になったように、最近はどれをとってみても、必ず底に穴が開けられています。つまり、やる気が出てきて、みんなが手を抜かなくなったのです。その結果、ガスがよく抜け、『す』ができなくなりました。つまり、モラールが上がって、品質が向上した、というわけです」

「わかった。誠に明解。実によくわかった。それにしてもいいことだ。大変いい変化だ」

「そうです。社長。いいほうへ動いていていますよ」

三月十二日金曜の夜から十四日の日曜の昼食まで、監督者の合宿訓練を実施した。基本的な内容はミドルについて実施したのと同じである。すなわち、金曜日会社終了後研修所に集合して、夕食後七時から九時まで、沢井から「私の経営方針と当社の監督者に期待するもの」というテーマで講義、入浴後九時三十分から例によって車座になってコップ酒。ここで飲みながら今の沢井の話に対する質問から始まって、やがて雑談に。

二日目の午前中と午後五時までは、和田課長の指導により、さまざまなゲームとQC関係の勉強。夕食後七時から九時までは、四グループに分かれて「監督者として今後何をなすべきか」について討議。これにはすでに経験済みの課長や係長たちが応援に現われて、討議に参加している。九時三十分からまたコップ酒。

三日目は九時から十一時まで、昨夜のグループ討議の発表と全体討議。十一時から、「私は明日からこういう新しいことをする」を一分間で個人発表。沢井のしめくくりの挨拶。昼食、解散。

管理職が次々と顔を出して、討議に加わったり、コップ酒の仲間に入ってきたりで、賑やかな研修であった。二日目の夜などは話が尽きず夢中になって、沢井が気づいたときは東の空が白みかけていた。

「おい、少し寝よう。身体がもたんぞ」

声をかけて、明け方少しまどろんで、三日目の研修を開始した。

事務局の大島部長に言わせると、

「いやあ、研修というより村祭りですな」

といった調子の内容である。

最後の一分間コメントで、溶解職場の監督者で労組の委員長でもある北見成雄は、次のように宣言した。

「オレの職場は溶解の炉で、どうしてもきたなくなる。それに男ばかりの職場で殺風景だ。整理、整頓、清掃の3Sできれいにするが、もう一つ、オレは明日から家の花を持ってきて職場に飾る。そしてこれから一年間オレは職場に花を絶やさない」

翌日の月曜日、沢井が現場をまわっていくと、

「社長、見てください。あれですよ」

北見が得意気に片隅の棚を指さした。水仙の鉢が一つ、薄暗い工場のなかに白い花が二つ咲いている。

「切り花だと面倒なので、鉢ごと持ってきたんですよ。水仙はもう終わりですが、これからいろんな花が咲きますからね。女房が好きで狭い庭にいろんな花植えてるんですよ」

「水仙か……」

「何かおかしいですか」

「うーん、ひげを生やした荒くれ監督者のイメージじゃないからね」

「社長、それは失礼な。繊細で水仙のような私の心を知らんですな」

「うん、まあ、水仙のように繊細ということにしておこう。しかし、それにしても職場の人たちは、君が水仙なぞ持ってきたから驚いたんじゃないかね」

「女の子みたいだって冷やかされましたよ。だから、研修で宣言した話をしました。ついでにお

前たちも何か変わったことをやれって命令しましたがね」

「うん、それはいいことだ。みんなに新しいことをやってもらおう。それで当社は生まれ変わるんだ」

このような小さな変化があちこちで生まれていた。

そして同じように小さな変化が、工場のあちこちに結局一四か所作られた花壇でも起こっていた。工場巡回をしながら花壇をのぞき込む沢井の眼が、小さな緑が土から顔を出しているのを、初めて見つけたのはいつであったか。それ以後沢井は注意深く花壇のなかを見る。三月に入って、あちこちに急速に緑が姿を現わしていた。

「来春、花壇に花が咲いたら、会社も黒字になっている」

去年こんなことを口にしたように思う。まだ花は咲かないが、いろんな芽が出てきた。はたして会社は黒字になるのだろうか。一月の末の雪の朝に、自宅の庭で見た氷のなかの紅梅の蕾が、沢井の頭に浮かんだ。その蕾は先月咲いて、今はもう散りかけている。

はたして会社は黒字になるのか――そんな思いにとらわれながら、沢井は四月からの月二〇〇トン体制の構築に全力投球をしていた。岡田常務、藤村部長はもちろん、友川、津野、大島の各取締役たちも、それぞれのポジションで積極的に動いてくれている。この体制のもとで、次の事項が推進されていた。
(1) 係長級へ昇格して事務所にデスクを持っている一二人の名人芸的技能者を、デスクと共に現場に出して、その技能を作業に発揮してもらう。

(2) かねて総務が検討していた変則二交替制は、工場隣接の住民や労組との話がついた。午前八時から午後四時までの一勤と、午後二時から十時までの二勤の操業体制を、必要な職場で実施する。近隣住民との話し合いは、主として工場の夜間操業に伴う騒音問題についてである。

(3) かねてプロジェクト・チームで検討していた物流合理化は、その検討の成果を四月から実施して行く。

以上の三項目は工場の生産能力の向上、つまり月二〇〇トン生産体制の基礎になるものであった。

(4) 四月から始まる小集団活動のためのチーム編成、リーダー、サブリーダーに対する社内外の研修、ＱＣ七つ道具を中心とした小集団活動に関する各種手法の全員に対する研修。

現場をまわる沢井の耳に、いろいろな声が入ってくる。

「電子事業部やＱＣの地区大会など外へ出て勉強してきたが、いや、驚いた。世の中どんどん進歩しているよ。井のなかの蛙だ。勉強しなきゃダメだ」

という前向き組が多いのだが、なかなかそうもいかない者もいる。

「このとしになって、こんなにいろいろ勉強させられるとは思わなかった。仕事ならなんぼでもやるけど、勉強っていうのは子供のときから苦手でね」

そんな人びとの一人ひとりと、沢井は立ち話をしながら味方を増やしていく。

「社長、あんたが来てから何だか忙しくなったね。仕事もだけど、やれ社章だ、標語だ、ポスターだ、花壇作れ、合宿で勉強だ、とにかく賑やかだな。社長はお祭り屋だね」

お祭り屋か。大島部長が聞いたら大喜びするだろう。会社は仕事の場だけではなく、もっと広く人生の場だと考えている沢井にとって、それは勉強の場でもあり、そして遊びの場でもある。去年はうっかり見逃してしまったが、今年のふいご祭りは精一杯楽しくやってみよう。

太宝工業という会社の場で、協力会社を含めた二三〇名の人たちが、充実した人生を送れるようにする。それには具体的にどんなことをしたらいいのか。赴任直後は思いつくままに試行錯誤してきた。そして今、それが次第に体系化、計画化され、組織として動くようになってきている。

会社を仕事の場だけと考えている人からみたら、沢井の場合はそれに勉強と遊びがつくために、ずいぶんいろいろ忙しくやっていると感ずるのだろう。だが仕事以外のところでも忙しいのが沢井の哲学のミソなのだ。よろしい、お祭り屋、けっこう。もっとお祭りをやってやろうじゃないか――沢井もだんだん開き直ってくる。

募集していた全社的体質改善運動のための名称、標語、ポスターの応募が締め切られた。名称の応募は三二六点におよんだ。事務局で五〇点に絞ってから選考委員会にかけられ、残った五点のなかから社長として沢井が一点を決定した。

採用した名称は「一〇Z《イチゼロゼット》運動」である。

「一」は今年度経常利益一億円以上を表わす。

「〇」は安全第一――休業災害ゼロの意。

また「イチ、ゼロ」ではなく、数字の「一〇」として、営業部門は販売価格を一〇％以上アップせよ。製造部門その他はコストを一〇％以上ダウンせよの意味を持つ。そしてそれが達成できなければX、Y、ZのZ、つまりアルファベットの最後の文字「Z」で当社は後がない。背水の陣であることを示す――と比較的簡単な名前のわりにはいろいろな解釈ができる。判じ物みたいだという反対意見もあったのだが、「イチ、ゼロ、ゼット」を発音してみると「ホップ、ステップ、ジャンプ」と三段跳びで飛躍する調子に似ていて、字づらより口当たりがいいのを沢井は評価した。

同時に標語、ポスターも選考して、四月一日には各所にいっせいに貼り出すよう指示をした。

沢井が夢中で働いているうちに春の彼岸が来ていた。正直なもので、あれほど寒さの厳しかったこの冬も、彼岸と同時にぐっと暖かくなった。四月からの一〇Z運動の準備も順調に進んでいる。沢井は久しぶりにゆったりした気分で、現場をまわった。

特品工場へ入ろうとして、入り口の右脇にある花壇に眼がいった。昨年まではこの課で働いている花好きの辻栄子一人の花壇だったが、今ではみんなが手を出して、前よりかなり大きく、立派な花壇になっている。

その花壇の土に、いろいろな芽が出ている。やっと顔を出した小さな芽や、もうかなり大きくなった芽や、いろいろである。

「不思議なものだ」

沢井は心のなかでつぶやく。沢井は春になるといつも思うのだ。

こんな土のなかに球根や種子をまいて、水をやればちゃんと芽が出て、そのうちに花が咲く。球根は大きいから、そのなかに花になる秘密が入っていてもなるほど、と思うが、小さな種子は、あんな小さなもののなかに生命が入っていると思うと、まったく不思議だ——。

「おや、社長、何見ているんですか」

昨年十月の組織改正で特品課長になった矢部が、どこか外出先から帰ったところらしく、外から近づいて来た。

「うん、いや、花壇に芽が出ているもんだから」

「芽が出るって、社長、もう彼岸過ぎですよ。芽が出るの当たり前じゃないですか。それに社長はしょっちゅう歩きまわって見てるんだから、今さら珍しそうにそんなこと言うなんて……」

「おかしいかね」

「え、いや、おかしくはありません……。うん、やっぱりおかしいですね」

「ハ、ハ、ハ……。やっぱりおかしいか」

「おかしいですよ。ハ、ハ、ハ……」

いっしょに大笑いした。この花壇は昨年の秋から暮れにかけて、花壇を作って、種子をまいて、やがて芽が出て、花が咲くころには、この会社を黒字にする、そのためのオレがやる、協力する、明るくする、を象徴する花壇であった。沢井にとって、いや太宝工業という会社にとって、この花壇はただの花壇ではないのだ。

年を越し、春が来て、花壇に一面に芽が出てきたように、太宝工業の社内にも、あちこちに新しい変化の芽が出てきている。花壇の花はやがて確実に咲くが、太宝工業の黒字の花ははたして咲くであろうか。沢井の笑いの底には、まだ強い不安が残っていた。

解説ノート 7

1月をふり返って

社旗やバッチで業績が向上するか？

一月はみんなで変身の決意を固めた月である。この項では、太宝工業の変身に向け、沢井社長が打った方策をふり返り、その背景にある考え方を考察してみよう。

沢井社長は変身の決意を示すため、あえて一月三日に臨時部長会を招集した。四日には、社員がデザインした新しい社旗も掲げて、太宝工業は変身への一歩を踏み出した。

万年赤字に苦しむ会社が、お金をかけて、社旗やバッチを新調する理由は何なのだろう。

一つには、変身にはシンボルが必要であり、新しい社旗やバッチがその役割を果たしてくれる、という期待感である。

二つには、社章作りを従業員の会社に対するプライドの醸成にも役立てたい、という思いである。万年赤字の会社の社員の多くは、「うちの会社は価値ある存在なのだ」というプライドを持ちにくい。また、「もっと、いい会社にしてやろう」という気概も希薄である。そこを強化しなければ、組織としての強さは実現せず、働きがいの醸成も中途半端に終わってしまうだろう。

そこで必要となるのが、「この会社が好きだ」という思いを育むためのコミュニケーションであり、それを「志のコミュニケーション」と呼ぶ。その一環として、沢井社長は社章作りを提案し、デザインの制作段階から従業員の参画を促した。応募作品も食堂に掲示した。それら一連のプロセスが会社に対するプライドの醸成に役立つはずだと、沢井社長は考えたのである。

「三か年計画」で変身の決意を示す

社章作りと並行して、沢井社長はもう一つ、志のコミュニケーションの材料を用意した。三か年計画の策定である。

三か年計画の定石は、経営理念の明確化と、それにもとづく中長期ビジョンと戦略の策定である。明文化には至っていないが、「会社を仕事の場だけでなく、勉強と遊びも含めた社会生活の場にしよう」という沢井社長の経営哲学は組織に浸透しつつある。それをベースに、向こう三年間の事業のあり方や社員の働きがいの基本設計図を描き出す。その共有化のプロセスを通して、社員の志を育み、変身の決意をより強固なものにしようとしたのである。

みんなが燃える目標作り

太宝工業の三か年計画は今期の黒字化が前提であり、それが実現して初めて日の目を見る。そのためには、年度レベルのチャレンジ目標の「Ｐｌａｎ（計画）→Ｄｏ（実行）→Ｓｅｅ（ふり返り）」をしっかり回すことが大切だと沢井社長は考えた。それは、すでに説明した「ＭＢＯ-

S（自己管理による目標管理）」の実践である。

実践に際しての最大ポイントは、よい目標を創ることにある。「目標管理が機能しない」という声をよく聞くが、人事評価との連動で生じる問題は別として、そのほとんどは、固定観念にとらわれた目標設定に問題がある。深く考えず、たとえば「営業といえば売上目標」と決めつけたり、定性的な目標を毛嫌いするあまりに数値化にこだわりすぎたりする。

やはり目標は、固定観念にとらわれず、よく検討し、深く考え抜いて、「一番目が事故ゼロ、二番目が黒字浮上」などのように設定する。それが、みんなが燃える目標作りの原点であり、かつ目標設定の原則である。

課題解決という目標

目標設定に際しては、「課題解決目標」という発想も大事にしたい。もう一度、186ページを見てほしい。沢井社長は、「全社目標を達成するために、各部課はどのような改革・改善を行なうべきかを検討し、その改革・改善を目標の内容とすること」と社員に要請した。それが、「課題解決目標」である。

その昔、私がダメ営業マンだったころ、売上目標で仕事をしたが、数字のプレッシャーと未達成の恐怖に神経をすり減らし、仕事の面白さにはほど遠い日々だった。

ところが、あるとき、上司から「顧客満足に集中しろ。それをやり切ることだ」という助言をもらい、試しにしぶしぶやってみた。一次顧客である化粧品店に対して、エンドユーザーの来店誘致策をあれこれ考え提案した。それが徐々に効果を発揮して、売上げが増え始めたのである。そうなると、「これは面白いなぁ」という気持ちが芽生え、それに動機づけられて次なる企画を立案する。そういう好循環で仕事をした結果、半期を締めてみたら売上目標は達成し、営業という仕事にも自信が持てるようになったのだ。

もちろん、一部の人は、売上目標だけでも、それなりに燃えるであろう。しかし、普通の人にいきなりそれを要求するのは酷である。課題解決の糸口をみんなで模索し、そんなプロセス自体を目標とすることも、みんなが燃える目標作りのコツである。

外発的動機づけと内発的動機づけ

よい目標をうまく創り、チャレンジ目標のPDSサイクルをしっかり回すことは、自動車にたとえれば、エンジンに相当する。しかし、それだけで車は動かない。ガソリンが必要である。ガソリンとなるのは人びとの心理的エネルギーの高まりであり、それを一般的に「やる気」と呼ぶ。計画↓実行↓ふり返りの各々の場面で、エンジンがフル回転しなければ、つまりやる気を高めなければ、チャレンジ目標は達成できず、働きがいの実感も小さくなる。

では、どうするか。その方法が「動機づけ」である。動機づけには二種類ある。一つは他者から与えられる働きがい（金銭的報酬、ストローク、承認欲求の充足など）でやる気を出す方法。もう一つは、仕事の面白さや責任感、あるいは自己成長の実感など、自ら取りに行く働きがいがもたらすやる気である。前者を外発的動機づけ、後者を内発的動機づけと呼ぶ。

二つの動機づけは、現場のリーダーとメンバーの共同作業によって可能になるが、それを支援するのが間接部門である。タイミングよく研修を仕掛けたり、部門内では見えにくい問題の抽出に協力したり、花壇作りも呼びかける。さらには、安全ニュースやお祭りの準備にも余念がない。こういう役割を太宝工業の安全環境部は担っているのである。

さぁ、これで、体制はある程度整った。あとは、それを使って攻めるだけ。沢井社長にも社員にも希望めいたものが湧いてきた。そんな明るさの予感を持って、太宝工業は二月を迎えるのであった。

解説ノート

8 2月をふり返って

分業と協働をセットで考える

この項では、分業と協働の関係について、沢井社長の考え方と行動を整理してみよう。

沢井社長は、分業もさることながら、「協働」が大事だと考えた。個々人が分業責任をしっかり果たせば、組織全体の業績が向上するという考え方が世間の常識だが、本当にそうだろうかと疑問を持ったのだ。たしかに、責任が欠落した分業状態で、いくら協働を促進しても、「もたれ合い」の構造を助長するだけである。だから、分業態勢の強化は否定しない。個々人の分業の遂行度合いを測定する人事考課制度も必要だと思う。

しかし、太宝工業は組織で仕事をしているのである。組織とは、「一人では不可能なことを、二人以上の人間の強みを使って可能にする仕組み」である。つまり、協働の仕組みが組織である以上、そのメリットを最大限に活用してこそ意味がある。分業と同時に、協働の仕組みも整備して、その運用に工夫を凝らすことが、組織活性化には重要なのである。

強みを生かす

協働の仕組み作りは、事業と働きがいの促進に関する、必須機能の洗い出しからスタートする。たとえば、業績向上には、顧客の潜在ニーズの把握や、ニーズに応える商品開発などが必須であり、福利厚生や職場の良い人間関係などが働きがい促進に必須である。

次に、それらの必須項目を整理・分類し、そこに、他社との差別化要素（提供する顧客満足の違い、顧客満足の届け方の違いなど）を盛り込むと、わが社のビジネスモデル（儲かる仕組み）が完成する。

そのビジネスモデルに沿って、どこに誰を配置するか。配置の定石は強みの活用であり、仕事の遂行に最適な人材投入が鉄則である。沢井社長は赴任早々、この組織の最大のネックは、名人芸的技能者が製造現場を離れていることだと直感した。承認欲求の充足を優先させ、適材適所の原則がゆがめられているのである。なんとかしなければと部長会に是正を求めるが、猛反対にあって妥協せざるを得なかった。ところが、この問題は思わぬところから解決の道筋がついていく。係長級の研修が問題解決の引き金を引いたのである。

なぜ、ベテランは動いたのか？

沢井社長が仕掛けた研修には、主たる狙いが二つある。一つは、絆の強化である。部門内、あるいは部門間に強い連帯感がなければ組織は動かない。

では、どうすれば絆は強化されるのか。それは濃い関わりを持つことだろう。頻繁に接触し、体験を共有する。「いいね！」と認め合うだけでなく、お互いに欠点や弱みも開示して、それを許容し合う関係作りが必須である。沢井社長はそのキッカケ作りの場を研修に求めたのである。

研修のねらいの二つ目は、前述の、みんなが燃える目標作りの促進である。納得感の伴った目標設定には、目標達成手段の探索が不可欠であり、それを一人でやるのはむずかしい。上司と部下との一対一の話し合いにも限界があるだろう。やはり、関係者が情報を持ち寄って、ワイワイガヤガヤと検討するのが望ましい。

事実、太宝工業の係長級の研修では、ベテラン組がとことん話し合い、自分たちの仕事のあり方が組織の重要問題であり、業績向上のネックになっているという気づきを得た。そして、「ならば、名人芸は現場に復帰する」と自ら問題解決策を立案したのである。

このような状態を、『関わりあう職場のマネジメント』(注10)では「下からのマネジメント」と呼び、自律的な仕事の重要な促進要因と捉えている。もちろん、その支援態勢としての「上からのマネジメント」が必要であり、両者のセット状態が理想である。

協働が分業の質を高める

上記の書籍は、沢井社長が重視する「よいチームワークが強い個人を創り出す」という仮説に対しても、一定の学問的根拠を示唆している。

同書によれば、職場における「仕事の相互依存性」と「目標の相互依存性」が、個人の支援、勤勉、創意工夫に影響するという。つまり、自分の仕事が他者に与える影響度が高く、職場目標の共有や、職場目標に対する責任の度合いが高い職場では、仲間が困っているときに助け合うことが自発的に行なわれ、ルールの順守や自分の役割への責任感も促進される。さらには、生産性の向上や業務の効率化に向けた、自律的な創意工夫も導き出すという。

作家の平岩弓枝は『私の履歴書』[注11]で、「テレビドラマの仕事は楽しかった。気の合う人びとと一緒に一つのことを創り上げていく面白さは格別のものがある」と協働がもたらす快感を述べている。一方で、テレビドラマには時間の制約があり、時間に収まらない収録映像は編集場面で切り捨てられるという現実がある。その厳しさに直面して、「まだ、テレビドラマが万事手作りであった頃だが、それでも書いたものが切られるのは嬉しくなかった。映像になってから切るのはなおさらである。名優といわれる人が実にいい芝居をし、いい具合にせりふを喋っている。それをばっさりやられるのは俳優さんにすまない気がした。次第に私は自分の脚本の段階で無駄なセリフを自ら切り落とすようになった」と述懐している。まさに、協働が分業の質的向上を促進する、という仮説の証明事例であろう。

注10　『関わりあう職場のマネジメント』（鈴木竜太／有斐閣／二〇一三年）
注11　『私の履歴書』（平岩弓枝／日本経済新聞社・二〇〇八年）

解説ノート9

3月をふり返って

生きた研修でなければ意味がない

沢井社長は、三月を四月スタートの全社体質改善運動の準備の月と位置づけた。幸いにも、運動の前倒しの効果もあり、変身に向け、従業員の士気は高まっている。この気運を加速させ、「人が燃え、組織が動く」という状態を一気に実現したい。そんな思いを込めて、監督者クラスの研修を実施したのである。

社員教育は社長の仕事

昭和五八年、私は研修講師という仕事に就き、さまざまな研修を手掛けたが、自分の研修に自信が持てず、スカッとした気分に浸るのは稀だった。そんなとき、すでに会社を退職し、大学で教鞭をとる著者との出会いがあった。無理やり押しかけ弟子にしてもらい、一緒に研修をやりながら、著者が標榜するマネジメント・エッセンスの吸い取りに注力したのである。

学びを深めていくうちに、忘れかけていた研修の原風景が私に戻ってきた。参加者への接し方やコミュニケーションスタイルに違いはあるものの、著者の研修に対する考え方は、その昔お世話になった中小企業の社長とまったく同じである。

その社長は、「社員教育は社長の仕事だ」という信念を持っていた。しかし、中小企業の経営者は忙しく、また研修運営スキルにも自信が持てない。だから、三泊四日の幹部社員研修の運営は、コンサルタント会社の講師に任せる。だが、主催者はあくまで社長の自分であり、四日間フルタイムで受講者六名とホンネの議論をしてみたい。その強い思い入れとは裏腹に、クレームの電話やら、資金繰りやらに追われて時間確保がままならない。一計を案じて、自宅の隣の空き家に、椅子と机を持ち込んで、粗末ながらも討議スペースを確保する。これならば、朝でも夜でも、空き時間を利用して研修に関わることが可能になる。

そんな執念にも似た研修の主催者意識と、研修に賭ける気持ちに驚き、かつ圧倒されたが、考えてみれば当然である。中小企業では社長自身が、また大企業では部門責任者が先頭に立たない限り、受講者に研修の必要性は伝わらない。やはり、研修には経営トップ層の熱い関わりが必須であり、それが生きた研修とダメな研修との分岐点になるのである。

研修のアウトプットは「気づきの実践」

もう一つ、上述の社長から学んだことがある。研修のアウトプットに対するこだわりである。研修の最後には、必ず社長が立ち会って、受講者一人ひとりの今後の課題を確認する。それを一般的な研修ではセレモニーのように行なうが、その社長は違っていた。「みんなのアドバイスを心で理解できたのか?」「どんなふうに理解したかをこの場で語ってほしい」というものだった。受講者が論理と感情の両面で何をどう感じ取ったのか、その確認をするのである。さらに、社長は気づきの実践にもこだわった。気づいただけでは駄目で、それをなんとか実践につなげてほしい。そのためには、研修での深い気づきが必須である。だから、社長は研修の最後で気づきの確認にこだわり、浅いと感じた人にはダメ押しを迫ったのである。

研修終了後も、社長は折に触れ、研修の気づきを話題に受講者と会話した。研修のアウトプットを気づきの実践に置くならば、そこまでやって当たり前と考えての行動だが、その徹底ぶりには頭の下がる思いであった。

気づきは日常生活でも可能であるが…

沢井社長も、深い気づきの実践が生きた研修だと考えた。研修をうまく運営すれば、「オレがやる」の実践に必要な「因は己にあり」という気づきが生まれ、協力し合うのに不可欠な人間関係のあり方にも新たな学びがあるはずである。そのような期待が研修には込められていたのである。

もちろん、日常生活のなかでも気づきの学習は可能である。たとえば、二月の章に出てくる、沢井社長と小林研三社員との関係がそれである。沢井社長は人間関係の大切さを自覚していたつもりであったが、小林さんの心の汲み取りには後手を踏む。そして、「社長と話がしたい」という小林さんの心の叫びに鈍感だった自分にショックを受け、同時にそんな自分を恥じたのだ。その気持ちが対人関係の気づきであり、矢印が自分に向いた瞬間である。

ふり返りが対人関係の気づきを促進する

そういう気づきが起きたのも、過去に受けたヒューマンスキル・トレーニングのおかげであると考えて、沢井社長は対人関係の気づきのセッションを研修に盛り込んだ。和田課長によるコミュニケーション・ゲームである。

ゲームと聞くと、多くの人が場を和ませるアイスブレーキング的な役割を連想するかもしれないが、そこにふり返りのセッションを組み込むと、気づきの学習が可能になる。ゲームの終了後、Here and now（今のゲームのなかで見たこと感じたこと）を題材に、今後のコミュニケーションやチームワークのあり方を検討するのである。

こうしたゲームによる気づきを成功させるには、ゲームを含め、研修全体のコーディネートを担う人が必要だ。その役割を沢井社長は和田課長に託し、彼をＳＤ（セルフ・デベロップメント）研修に送り込み、ファシリテータとしての心構えを学習させた。また、気づきの学習を広げるために、若手の課長や監督者層の数名にもＴＡ研修の受講を勧めたのである。

そういう事前準備と努力の甲斐あって、監督者クラスの研修は生きた研修として機能した。労組の北見委員長は研修の最後の場面で、「職場を３Ｓできれいにする。一年間、職場に花を絶やさない」と決意を述べ、その通りにやり切った。同様に、多くの人たちが研修の気づきを実践したのである。

第10章

黒字浮上

【4月】——人はみな能力を秘めている

「みなさん、おはよう。暖かな春になりました。今日から新しい年度が始まります。まずこの上期の予算は、四二〇〇万円の黒字予算となりました。私以下管理者は、この予算をかなり自信を持って作りました。必ず実現してみせようと決心しています」

暖かくなってきて、沢井の体調はいい。高い台の上から、マイクをとおして沢井は社員たちに語りかける。四月一日の朝礼である。

「さて、その黒字にするための全社的体質改善運動ですが、その名前、標語、ポスターについてみなさんに応募してもらいました。細かな内容は後から配る『安全ニュース』にゆずりますが、予想以上にたくさん応募してくださったことに厚く御礼申し上げます。いつものことですが、今日帰られたら、奥さんや子供さんにも社長から御礼があったと必ず伝えてください。私の御礼の言葉を自分だけで握りつぶしてしまわないように……」

どっとざわめきがあって、あちこちで白い歯が見えた。

「そのたくさんの応募作品のなかから、例によって入賞、佳作などを決めましたので、今日この朝礼が終わったら、表彰式をいたします。選考の結果、全社的体質改善運動の名前を『一〇Z《イチゼロゼット》運動』といたしました。これは検査係長の浅野孝治君の案です。浅野君、おめでとう」

食堂の右の窓際に立っていた浅野係長の周りがざわめいた。周囲の人に押されたり、突かれたりして浅野は照れている。

「この名前について説明しておきます。まず『一〇』を『イチ、ゼロ』と読んでもらう。その『イチ』は全社目標の第一、今年度経常利益一億円以上の『イチ』です。次に『ゼロ』ですが、全社目標の第一、休業災害ゼロの『ゼロ』です。そしてこの『イチ、ゼロ』の目標を達成するには、『一〇』を七、八、九、一〇の『ジュウ』と読んでもらう。

営業部門は販売価格を一〇％以上アップしよう。

製造部門を中心とする全社でコストを一〇％以上ダウンさせよう。

これを実現すれば一億円はもうかる、ということです。ただし、もしこれに失敗すればX、Y、ZのZ、つまり英語のアルファベットの最後のZで、当社はあとがない、つまり背水の陣だ、というのが『一〇Z』という名前の意味です。

『一〇Z』という三文字のなかに、当社が今強い関心を持っている数字や言葉がすべて含まれています。そのうえ『イチ、ゼロ、ゼット』と口に出して言ってみると、三段跳びのホップ、ステップ、ジャンプのような、飛躍のリズムがある。イチ、ゼロ、ゼットとこの三段跳びのリズムで、一気に黒字に跳ね上がりたいと思っています。

ほかの大勢の方がたも、いろいろ名案を出してくれましたが、残念ながら浅野君のこのイチ、ゼロ、ゼットには及びませんでした。それにしてもこの案は大変な名案です。浅野君、よく考えてくれました。お礼を言います」

最後の言葉を言いながら、沢井は浅野のほうへ向いて、軽く頭を下げた。浅野が慌てて沢井に頭を下げた。その浅野の周囲から拍手が起こって、みるみる全員に拍手が移り、食堂内に熱い空気が流れた。

その拍手がおさまるのを待って、沢井は次のようなことを簡潔に話した。

(1) この一〇Z体制はかねてから言ってきた月二〇〇〇トン以上生産販売し、売上高三億円以上の黒字確実の線をねらうものであること。
(2) そのために係長級の一部の超ベテラン名人たちに、第一線の仕事を応援してもらうこと。
(3) 一部の職場に変則二交替制を実施すること。
(4) みなさん全員にかねて勉強してもらったQCの知識を使って、サークル活動をしてもらうこと。これはいかに楽をして成果を上げるかということを目的にやるのだから、最終的にはみなさんが会社へ出てきて、寝ていても製品ができていくような姿を理想にして頑張ってもらいたいこと。

沢井のこんな冗談に、みんなが反応して笑うようになった。ときどきみんなを笑わせながら、沢井は長い話を続けていく。赴任してきたころに比べると、沢井も話がじょうずになった。

「さて、工場のなかを歩いていると、花壇に芽が出て、もう蕾を持っているのもあります。昨年の秋から暮れにかけて寒い風のなかで、オレがやる、協力するのみなさんの力で花壇を作ってもらいました。そのとき私は、この花壇に花が咲いて明るくなるとき、当社もまた黒字の花を咲かせたいと言いました。

その花壇に緑の芽が出てきたのです。白や赤の蕾も目につくようになりました。間もなく花壇の花が咲きます。一〇Z運動スタートの今日をキッカケに、当社を一気に黒字にしようではありませんか。以上で私の話を終わります」

爆発するように、一気に拍手が湧き起こった。

「ようし、やるぞ」

「頑張ろう」

「黒字にしてやる」

「そうだ」

しばらく鳴りやまない拍手が、そういうみんなの心を伝えている。台から下りた沢井は、眼を閉じて、拍手のなかに身をゆだねていた。


四月一日の午前中いろいろな仕事に追われた沢井は、午後待ちかねたように現場巡回に出た。特品工場から鋳造工場に向かう。いつもの順路である。鋳造工場に入って、沢井はオヤッと思った。応募してきたポスターと標語を、それぞれの職場に掲示するように指示しておいたのだが、あちこちの壁に貼ってある点数が少ないのだ。

ポスターは応募してきたそのままの絵が掲示されている。標語は、書き初めに使う長い紙に、筆でメシが食えると言われる総務課の鈴本副参事が、みごとな字で書いたものが掲げてある。じっと眺めているうちに、沢井はあることに気づいた。ポスターも標語も佳作以上に入った作品だけが掲示してある。つまりもっとも数の多い落選作品が掲示されていないのだ。大きな工場のなかにあちらに一つ、こちらに一つ、ぽつん、ぽつんと掲げてある。これではさびしいわけだ。沢井は急いで事務所に引き返した。そして、ちょうど居合わせた井原課長と鈴本副参事を部屋に呼んで、なぜ落選した作品を掲示しないのか尋ねた。

「安全関係の標語やポスターの募集が従来もたまにありまして、今までは佳作以上のものだけ掲示することにしてきましたので……」

質問する沢井の真意がはかりかねて、井原が戸惑ったように答える。

「わかった。従来どおりの掲示をしたわけだ」

「はい」

「うん、君たちは従来どおりやった。ただ、こういうことを考えてほしい。つまり、現場の人たちが疲れて家に帰ってから、一所懸命考えて標語を作ってくれる。ふだん書きつけない絵を書いて、ポスターを作ってくれる。なかには奥さんや子供さんたちの作品もある。家族みんなで会社のことを考えて作ってくれた作品だ。もちろんじょうず、へたがあるから、うまくないのは落選、参加賞だけというのはしょうがない。

賞品をあげる、あげないではなく、家族ぐるみで書いてくれたありがたさ、そのありがたいという気持ちを会社として少しでも表わすのは、入選も落選もなく、応募作品全部をそれぞれの人が働いている職場に掲示することだと僕は思うんだが」

「わかりました。社長のお気持ちはわかりましたが、ポスターはそのまま掲示すればよいのですが、標語はこの鈴本君に書き直させなければなりません」

「うん、だから鈴本君にもいっしょに来てもらったんだ」

「標語は全部でたしか二二一点もあったと思いますが……」

「社長、わかりました。私が書きます。社長がおっしゃるように、現場の人が、夜帰って考えて作った標語と思えば、私もその思いで精一杯頑張ってみます」

「おう、鈴本君、書いてくれるか」

「はい、社長、書きます」

「しかし、社長、そんなにいっぱい掲示したら、職場がポスターと標語で、雑然と賑やかになってしまいますが」

「いいじゃないか、井原君。お祭りなんだ。雑然と賑やか。まさにお祭りだ。けっこう、けっこう」

「はい、わかりました。それでは早速、とりかかります」

「うん、そうしてください。藤村部長には僕からも話しておくが、帰ってきたら留守中僕からこういう指示があったと君たちからも話してください」

「はい」

翌日、その翌日と職場は次第に雑然と賑やかになっていく。社員たちも戸惑ったようである。

「社長、オレの落選作品まで貼り出されるとは思わなかったよ。こんなことならもっといいのを考えればよかった」

「そうかね、じゃ、君のはずさせようか」

「いや、何もせっかく貼り出してくれたんだから、はずすことはないですよ」

「じゃ、あのままでいいんだな」

「ええ、いいですよ。だけどみんな貼り出すのなら初めからそう言ってくれれば、もう少しいいのを考えたのになあ」

「ふーん、あれ以上のが君にできるのかなあ」

「えへへへ……」

沢井がまわっていくと、こんなやりとりがあちこちで行なわれた。賞金や賞品の刺激もさることながら、自分や家族の作品がみんなの前に名前入りで掲示されることの満足感がどれほど大きなものか、沢井はあらためて知らされた。

マズローの欲求五段階説の「自我の欲求」は、承認の欲求とも呼ばれている。つまり、自分をみんなに認めてもらいたいという欲求だ。すると入選はもちろん落選でも、自分や家族の作品がみんなの前に飾られるのは、その承認の欲求を充足することになるのだろう。だから、沢井が「それじゃ、君の作品ははずさせようか」と言うと、「せっかく貼り出したものを何もはずさせることはない。――貼ったままにしておいてくれ」と言うのだ。つまり落選だって何だって、みんなの前に貼り出されて、認められたいのだ。そしてどうせ貼り出されるならもう少しましな作品にしなけりゃ……と、勉強し、良い作品を作る努力をしていく。こうして人間は自分を伸ばしていく。なるほど、第四段階の自我の欲求だ。

経営管理学を少し勉強している沢井は、会社のなかで眼の前に起こる現実の姿と経営管理の理論とを、無意識のうちに比べてみることをよくやっている。彼の頭のなかで理論と実際の突き合わせが行なわれ、一方では現実に役立つ理論を選択すると同時に、他方で理論を生かして有効な実際の方策を練り上げていく。実務家である沢井は、自分の経営管理学の勉強を、つねに実務に役立つためにやっている。

それにしても五〇〇点近いポスターと標語が各所に貼り出されて、工場内は急に賑やかになった。


桜が咲き、散っていった。四月中旬、親会社のベースアップの労使交渉妥結のあとを追って、太宝工業でもベアの交渉に入った。昨年暮れの賞与の交渉でやったように、今回も役員全員泊まり込み覚悟の対応である。

一晩で煮つまらず、中二日おいてふたたび交渉に入り、これも一晩でまとまらず、二晩連続の徹夜交渉になった。その最後の夜明け、やっと妥結して、白々と東の空が明けるころ、沢井たち取締役六名は、お互いの疲れた顔を眺め合っていた。総務が用意したサンドイッチと熱いお茶を口にしながら、協力して一つのことをやりおおせた一体感を味わっていたのである。

「研修所で、一杯やりながら夢中でダベっていて、気がついたら空が明るくなりかけていた。本当はもっと話し合いたいことがいっぱいあるのに、研修のスケジュールがあるから、そうもしていられない。しぶしぶ部屋に眠りに行く。あんな感じを思い出しますね」

口数の少ない津野技術部長が珍しくしゃべり出した。

「おなごり惜しいですか」

と藤村部長。

「何でしたら、もう一晩いかがですか」

「いや、いや、もうたくさん。今日は帰らせてもらって、朝風呂に入って、一杯引っかけて寝させてもらいます」

「そう、そうしてください。私もみんなが出勤してきたら朝のうちに現場をひとまわりして、それからアパートへ帰って寝かせてもらいます。みなさんも一服したらどうぞゆっくり休んでください」

「じゃ、そうさせてもらいますか」

徹夜明けの疲れもあろうが、ずいぶん気楽に話し合うようになった。組織改正や三か年計画の部長会議など公式の話し合いを積み重ねてきたこともさることながら、研修やこの交渉で徹夜やそれに近い夜をたびたびすごしてきたことが、取締役たちを裸のつき合いに近づけるのに役立っている。トップの組織もずいぶん変わった。柔軟に素早く動けるようになった。だいいち、哲学の基本線がかなりまとまってきている。

疲れた身体をもう一頑張りさせて、現場まわりを済ませてきた沢井を、大阪営業所長の杉本道明が待っていた。

「お疲れのところをすみません。今日午後大阪へ帰りますので、その前にどうしても社長にお話ししたいことがあったもんですから」

仕事もやるがスポーツも遊びも何でもござれが杉本の身上だ。中肉中背、三九歳、働き盛りである。焼けたのか地肌が黒いのか、いつも海から今帰ったような黒い顔で、精悍そのものだ。眼がクリクリと子供のような表情を持っている。

「今日帰りますと当分上京の予定がないもんですから。それにこの話は来月の朝礼で、ぜひみんなに紹介していただきたいので、お疲れは承知していますが……」

ふだんは上に向かってもわりにずけずけ言う杉本にしては、えらく恐縮している。二晩続きの徹夜明けだ。社長はお疲れだからあまり長い時間はダメだぞ、とたぶん藤村部長あたりからきつく言われているのだろう。

「いや、いいんだよ。あとは帰って寝るだけだから。で、その話というのは、いい話かね」

「そうです。ものすごくいい話なんです」

眼が輝いて、やっとふだんの杉本らしくなった。

「先日、京都の西山化学という会社へ行ってきたんです」

「西山化学？　あまり聞いたことがないね」

「そうでしょう。初めての取引きなんです。そこが耐酸鋼の鋳物部品を工場で使っていましてね。今までのがどうも良くないので、その部品の仕様や材質を変更しようとしたんですが、今まで取引きしていた会社に連絡してもどういう事情があるのか、その会社の対応が悪いのです。おまけに担当の技術屋も中継ぎの事務部門も電話の応対が悪くて、西山化学の担当者が頭にきたらしいんですね」

「なるほど」

「そこで何かで調べて、太宝工業も耐酸鋼やっているからできるかどうか、京都から当社へ電話してきたわけです」

「うん」

「その電話を受けたのが総務の松川幸子さんです。ご承知のとおり彼女は電話応対の名人ですからね。キチッと応対して、すぐ技術部の栗山君に電話をまわしました。栗山君がしっかり対応して、大阪営業所長を直ちにうかがわせますからと、私のところへ連絡が入り、ちょうど手があいていましたので私がすぐに京都に飛んだんです」

「そうか。オレがやる、協力する、だな」

「そうです。それなんです。西山化学の担当者が私の顔を見て驚いていました。電話一本でこんなに素早く、気持ちよく対応してもらったのは初めてだ。すぐ見積書出してくれって言うので、先日見積書出したら即ＯＫ、注文いただきです。しかも今まで納めていた会社をやめて、今後は太宝工業に切り替えるって言うんです。つまり、私の言いたいことは、電話一本でもおろそかにするな。オレがやる、協力する、明るくするの精神でやれば、お客さまが向こうから来てくれるということです」

「うーん、よくやってくれたなあ、松川さんも栗山君も、君もな」

「いえ、私は栗山君に言われて、フォローしただけです。ただ、工場サイドは一〇Ｚの二〇〇トン体制がだいたいできたというのに、営業のほうはここにきて全般に低調です。今までは営業が製造の尻を叩いていましたが、これからは逆になるかもしれない。それだけに電話一本で新規のお客をいただけるなんて、夢のような話なんです」

「うん、先日の部長会議でも高野部長が言っていたが、やはり受注は厳しくなっているか」

「はい、関西でもそういう傾向が出てきました。それだけに今後ますます力を合わせてやっていかないと黒字になれません。それでこの話を朝礼でしていただいて、みんなにハッパをかけたいんです」

「わかった。考えてみよう」

杉本所長は黒い大きなバッグを下げて、忙しそうに大阪へ帰って行った。

桜が散った後、新緑がもえ立ってきた。さわやかな浅みどりのなかに、木蓮の白い花が浮かぶ。これから五月にかけて、沢井の好きな季節だ。工場のなかどこを歩いても、人びとは新緑のようにもえている。その人びとによって、組織はいい方向へ動いている。

沢井は工場のなかをゆっくり巡回し、人びとと話し、時折り花壇をのぞいていく。その花壇にさまざまな花が咲き出した。れんぎょう、アネモネ、チューリップや沢井には名前もわからぬ花が、蕾をつけ、花を開き始めている。

花壇に花が咲くころには、会社を黒字にする——沢井はこの思いにとらわれている。花壇に花が咲く三月、四月ごろというのは、沢井が赴任して九か月、一〇か月目、つまり、一年は眼の前なのだ。ここまできたこの会社、みんながこんなに変わって頑張り出したこの会社を、絶対につぶしてはならない。だが、現実はまだ赤字だ。

それを思うと気が重くなる。沢井は今年花見もせずに桜のシーズンを終えている。新緑と花壇の明るい雰囲気のなかを、多少の重さを感じながら事務所に帰ってきた沢井を、岡田常務と藤村

部長が待っていた。社長室のドアを閉めて、

「実は、三月の月次決算を出してみました」

藤村が言う。通常は期末だから月次は出さないのだが、沢井がとくに指示しておいたのである。

「うん、ご苦労さま。で、どんな数字になりましたか」

「それが一四〇〇万円の黒字です」

「えっ」

沢井は思わず声をあげた。岡田は沢井を待っている間にすでに聞いていたらしい。

「計算がどこかおかしなところがあるんじゃないか」

「ええ、期末の特別な要素がいたずらしていないか、と何回もチェックしてみました。控え目に、控え目にと整理してみましたので、おそらく一四〇〇万円よりプラスアルファの利益だと思います」

「ふーむ」

「まず、販売量が一六八トンで、売上高二億八六〇〇万円です。従来の感覚では分岐点ギリギリ、損益はトントンかその付近というところです」

「うん、まあ、そんなところだろうね」

「内容をチェックしてみますと、まずキロあたり販売価格が、十月から二月までの平均に対して、九％ほどアップしています。製品の内容としてとくに単価の高いものは見あたりません。個別にチェックすると、従来より販売価格が上がっているのが眼につきます」

「そうすると、例の重点指向製品以来の、営業の値戻しの成果が具体的に出始めた……」

「そういうことだと思います。早くお知らせしようと思って、十分に詰めた検討はしていないので、確信を持って申し上げられないこともありますが、大筋が変わるようなことはないと思います」

「そうか……」

「それから、もう一方でコストの低下があります。一キロあたり総コストで比較すると、十月から二月までの平均に対して六％ほど低くなっています」

「私のかなり長い当社の経験からも、最近工場のコストは下がっているはずです。働いている社員たちの意識も違いますし、それに何よりも品質の向上と納期の短縮があります。私は二月ごろから黒字が出るのではないかとひそかに期待していたのですが……」

「では、岡田常務もこの黒字は妥当な結果だと……」

「はい、当然の結果だと思います。新積算方式による商品別グラフは、当初は社内にトラブルを起こしましたが、十二月の後半ぐらいから営業がだんだん納得して値戻しに取り組むようになりました。その成果が一月、二月と少しずつ出て、三月にはかなりはっきりと出てきたのです」

「うん、そういう動きはよくわかりますな」

「一方で、製造側ですが、これは先ほど申し上げたように、私は総括責任者として、責任を持って申し上げますが、今後まだまだコストは下がります」

慎重、温厚な岡田常務がここまで言うのは、よほど確信があるからにちがいない。

「それでは、これから四月、五月と黒字になっていくということですか」

「はい、先のことはどんなことが起こるか断言できませんが、一〇Z運動の展開が、必ず数字面でも良い効果を表わします。一方、営業の値戻しも今後もっとはっきりと数字に出てきます」

「ということは、その入り口の三月で一四〇〇万円の黒字なら、これからかなり期待できるということですか」

「はい。ただ、営業部長が最近受注減少の傾向が業界全体にあると報告しているのが気になりますが、これも当社の好転の幅を消してしまうほどのことはないと思います」

「私も岡田常務のご意見とほぼ同じです。月二〇〇トンの受注・生産は、受注面からたぶん困難と思います。しかし、おそらくそう遠くないうちに、当社の損益分岐点は一五〇トン、二億五〇〇〇万円の売上げで安全圏内に入るところへ到達すると思います」

「うん、失礼だが、慎重で固く見るお二人がそう言うのだから、まず間違いないことだろう。それに正直のところ私自身の見方もお二人とほぼ同じです。だが気を緩めないでいっそう頑張りましょう」

「はい、もちろんです」

「しかし、それにしても、去年の暮れの打ち上げのとき、三レンチャン、つまり三か月連続黒字にしたら、今度はこも樽二本すえて飲ませるって、あちこちで手形切っちゃったんだが、三、四、五月と黒字が続いたら、六月の末には三連続黒字達成パーティーというのをやらんといかんな」

「社長、気を緩めないでいっそう頑張ろうなんて言われたその口で、六月にこも樽二本なんてタ、ルんだことを言ってもらっては困りますな」

「いや、申しわけない。気をつけます」

「ハ、ハ、ハ……」

笑ったのは沢井と藤村の二人であった。

岡田常務が二人に向かって直立不動の姿勢をとった。

「社長、藤村部長。ありがとうございました。おかげさまで太宝工業は黒字になりました。お二人のご苦労に心からお礼を申し上げます」

岡田は、二人に向かって深々と頭を下げた。

「いや、待ってください。岡田さん。あなたにお礼を言われる筋ではない。いっしょにやったことじゃないですか」

「そうですよ常務、何を言われるのですか」

「いいえ、去年の七月お二人が赴任され、大変なご苦労をなさった結果です。それに二〇年もこの会社にいる私にとっては、黒字になったこともさることながら、それよりも、社員のみんながいきいきと眼を輝かせて会社へ出てくるようになったのが嬉しいのです」

「そう。それは私も同感だ。昨年七月一日の赴任の挨拶のときのみんなの姿を思い出す。あの死んだようなうつろな眼。あれには堪えられなかった」

「社長、どうやら目標を達成できます。それも赴任後九か月目に見とおしが立ってのです。おめでとうございます」

藤村が言った。

「うん、九か月目だね……」

昨年五月、親会社の社長から内示を受けたときに、一年後の黒字浮上に自信が持てなくて、二年間時間をくれと沢井は言った。しかし、やってみれば九か月目で黒字浮上した。現有人員、現有設備でだ。人びとのなかに潜在している能力がいかに大きいものか。それを十分に引き出さない経営管理者がいかに多いことか。沢井はあらためて知らされていた。

一年後の黒字浮上に自信が持てず、二年間時間をくれと言った自分がはずかしかった。人間に対する信頼感がまだまだ不十分だったことを、沢井は痛烈に感じ取っていた。人びとの能力を多少でも引き出して、その結果として黒字浮上に結びつけた喜びと、一方で人間信頼の不十分さを痛感したことが、沢井の心のなかでないまぜになっていた。

岡田と藤村も、それぞれ複雑な表情をしていた。

岡田は黒字浮上の喜びと同時に、常務としての自分が沢井の役割を演じて、もっと早く黒字にしなかったことに、厳しい責任を感じていた。客観的に見れば、社長としての沢井と常務としての岡田では、組織のなかの力がちがう。沢井にできた同じことを岡田にはできないことが、現実にはあるだろう。だが、それを承知のうえでも、過去自分は本当に精一杯やってきたかと自問してみれば、やはり内心深く恥入るものが岡田にはあった。

藤村もまた、複雑な気持ちを噛みしめていた。沢井の片腕として精一杯働いてきた。作業服を着て走り回ってきた自分が、わずか一年足らずのうちに大きく変化し、成長していた。その結果として黒字にはなったし、言うことはないようなのだが、沢井さんのかわりを自分がやれるか、九か月前に自分がこの会社の社長になったら、今日ここまで組織を引っぱってこれたか、と考えると、自分と沢井との間にある大きな差が気になった。

藤村にとってこれは以前からのことであった。赴任以来沢井がさまざまな手を打つのを見て、時折り感じてきたことである。だが今日こうして黒字浮上の実感をつかんでみると、あらためてこのことが気になった。

「だが、しかし……」

と沢井がゆっくり口を開いた。

「ともかくもこの会社が黒字浮上したのは確からしい。この黒字を確かにするために、明日からまた頑張りましょうや」

「はい」

二人が出て行ったあと、沢井は椅子に深く腰を下ろして、タバコをすった。そして今夜は自宅に帰って、このことを妻や子供たちに知らせようと沢井は考えていた。

昨年の七月に赴任して以来現在までの間、沢井は家庭のことで心を煩わされることなく、仕事に没頭できた。子供たち二人がいずれも大学に入っておとなになったとはいえ、沢井と妻、息子と娘の四人の家族が一年近い年月の間、まったく平穏無事であったはずがない。ほとんど自宅にいることのない沢井の知らないところで、いろいろ葛藤があったにちがいない。だがその葛藤を沢井にぶつけないで、太宝工業の仕事に没頭させてくれた。

沢井はそのことにあらためて深く感謝の気持ちを持った。同時に、黒字になったし、今後とも黒字でいける見とおしだという報告こそ、彼らに対する沢井の最大のお礼だと思ったのである。黒字になったと聞いたら、妻はたぶん涙を流すだろう。

解説ノート

10 4月をふり返って

MBO-Sは同時並行多面作戦で

沢井社長の赴任から九か月、太宝工業は待望の安定的な黒字を記録した。現有設備、現有人員という制約があるなかで、組織活性化策が功を奏した結果である。その状態を沢井社長は「人が燃え、組織が動く」と表現するが、MBO-S（目標による管理）の用語を用いれば、「人も組織もセルフ・コントロール状態に突入した」と言い換えられるだろう。

では、どうすれば、そのような状態が出現するのだろうか。

多くの企業でMBO-Sが機能しないのは、目標の追求のみに偏った目標管理と、個人に焦点を絞り過ぎた目標管理という、きわめて狭義のMBO-Sを志向しているからである。また、人事考課のための目標管理も、チャレンジ精神を鼓舞しようとする会社側の思惑とは裏腹に、チャレンジ目標の自主的設定意欲の阻害要因になっている。そう考えた沢井社長は、「職場のMBO-Sを同時並行多面作戦で展開する」という新機軸を打ち出した。職場目標をみんなで達成しよう。そのために、ありとあらゆることを実施する。そういうコンセプトの実践記録が本書なのである。

三種類のコミュニケーション

同時並行多面作戦の要点は、エピローグの沢井社長自身による解説に詳しいが、詰まるところ、コミュニケーションの強化にほかならない。

《問題創造・問題解決のコミュニケーション》

セルフ・コントロールの促進に必要なコミュニケーションの中心軸は、問題創造・問題解決のコミュニケーションである。問題を積極的に発見し、問題解決のための「仮説」も同時に考える。そして、「仮説の立案→実験→検証」のサイクルをエンドレスに繰り返す。この一連の思考活動を、関係者が集まって、三六五日、ありとあらゆる場面で展開する。

そのようなコミュニケーションをうまく行なえば、仕事の面白さが実感できる。仕事の面白さに動機づけられた人びとは、自主的にさらなる改善にチャレンジする。改善に成功すれば、自分に対する有能感も湧いてきて、もっと高度な改善に着手するだろう。すなわち、内発動機づけ（244ページ参照）による意欲的、かつ自律的な行動の出現であり、その状態をセルフ・コントロールと呼ぶ。

《人間関係円滑化のコミュニケーション》

しかしながら、人間は弱いものであり、マズローのいう「承認欲求」や「所属と愛情の欲求」

がある程度満たされなければ、欲求不満を起こしてしまう。不満が強ければ、いくら仕事の面白さや有能感を獲得しても、強いセルフ・コントロール状態は望めない。だから、沢井社長は、「朝礼における表彰」などを通して従業員の自尊心を刺激する。毎日、現場を回っては、良いストロークの打ち込みを実践する。いずれも、人間尊重の思いを伴った、人間関係円滑化のコミュニケーションである。

《志のコミュニケーション》

さらには、志のコミュニケーションも忘れないことが大切だ。世の中に役立つ仕事をしよう、あるいは人びとのハッピーに貢献する新製品を開発しようという気概とロマンが、働く人びとの心理的エネルギーの増進剤として機能するからである。その気概とロマンを育むために、沢井社長が準備したのが「社章作り」や「三か年計画の策定」である。

これら三つのコミュニケーションのいずれが欠けても、MBO－Sはノルマ管理か、ぬるま湯マネジメントに堕してしまう。三種類のコミュニケーションが同時並行的にうまく実践されたとき、働く人びとはセルフ・コントロール状態に突入するのである。

エピローグ

黒字達成までをふり返る

——同時並行多面作戦の展開

岡田常務や藤村部長の言葉のとおり、太宝工業はこの三月から黒字に浮上する。すなわち、三月一四〇〇万円、四月一七〇〇万円、五月一二〇〇万円と連続黒字になった。五月の確定月次決算が出た六月末日には、半年前の暮れの打ち上げ会で約束したように、こも樽を二本すえて、みんなと徹底的に飲むことになるのである。つまり太宝工業は、沢井の赴任後九か月目から黒字に浮上した。

その後赤字の月がまったくなくなったわけではないが、黒字基調となり、この年一億三五〇〇万円の経常利益を計上して、全社第二目標の経常利益一億円以上を確実に達成する。そしてその翌年には一億八〇〇〇万円の利益で、黒字を安定化させた。ただし、第一目標の安全面では休業災害二件を発生して、目標未達に終わる。沢井は奮起して、次の年は安全面にいっそうの精力を注いだ。

いずれにしてもそれまで毎年一億円から二億円ぐらいの赤字を出していた会社を、現有設備、現有人員のまま、ほとんどカネをかけずに、沢井は一年足らずで逆に一億円から二億円近い黒字に転換した。プラス・マイナス三億円からの逆転である。

本文中で沢井はポスターや標語に賞金を出したり、トイレの補修をしたり、合宿研修をしたり、SDやTAやQCなどの外部セミナーに社員を派遣したり、あちこちにおカネを使っている。沢井が使ったおカネで一番まとまっているのは課長以上に対する給与カットの廃止であろう。しかしそれでも一年間で六〇〇万円である。これを含めて、沢井が組織の活性化に使ったおカネは、おそらく一〇〇〇万円をやや超える程度であろう。それでプラス・マイナス三億円からの赤字・

黒字逆転の成果を得たのである。

一般に会社を成長発展させるためには、新技術、新製品を開発する、あるいはそういうものをほかから買う、大きな設備投資をして業容を一変させる、莫大な広告宣伝費を投じて売上げの拡大をはかる。他の会社や事業を買収するなど、いわゆる戦略的な手を打つのが有効である。しかしこれらの戦略的な方策の実現には、おおむねかなりの金額の投資と相当の時間がかかる。

沢井のこのケースでは、こういう戦略的な手は打てなかった。その理由は本書の冒頭の章に述べてある。現有人員、現有設備による黒字浮上が沢井に許された方策である。これは上述の戦略的手段に対して、内部管理で効果を上げる手段ということになる。別の言葉で言えば、組織の活性化をはかることである。

幸いに沢井は長年目標による管理を勉強してきた。だから彼は目標による管理の哲学と手法を使って、この変革をなし遂げたのである。戦略的手段と内部管理の手段とは違うと言った。それはたしかに違うのだが、かりに戦略的手段によって会社を発展させるときでも、同時に目標による管理などで内部管理もしっかりやっておけば、その成果は倍増する。つまり、内部を目標による管理で盛り上げ、その目標を戦略につないでいけば、高い業績が得られるにちがいない。

さて、沢井は当事者の立場から、本文に述べたこの物語を、次のように整理、補足して、われわれの理解を助けてくれている。

一　トップのあり方について

1　変革に対するトップの姿勢と熱意

組織を変えようとしたら、まずトップ自身が変わらなければならない。この自明のことが意外に行なわれていない。現状のままでいいというなら問題ないが（そのこと自体が問題だが）、組織の現状に何か問題を感じ、それを克服して組織を新しい方向へ持っていこうと苦慮しているのが、トップの一般的な姿である。

そういうときに、部下たちにこういうふうに変われと言う。そう言っているトップはそういうふうに変わっていないのだ。人間が自分を変えることは非常にむずかしい。そのむずかしいことを部下にやれと言って、オレはこのままだよ、と平然としているトップが意外と多い。いや、自分は変わっているつもりなのかもしれない。だがそれは本人の独りよがりで、他人が見たらちっとも変わっていないのだ。自分が変わらないで組織を変えようなどと虫のいいことを考えても、そんなことは実現しない。

トップがまず自分を変えて、それを組織のなかに伝え、組織のメンバーたちが自分を変えるという困難な作業が成功するようあらゆる支援を惜しまない。変革に対するトップのそのような強い姿勢と熱意が、組織活性化の原点である。

この物語では、初め沢井は取締役になれなかったという自分個人の利害関係の尾を引いたまま、子会社の太宝工業に赴任する。しかしそこで、長年の赤字に打ちひしがれた人びとを見る。この人とその家族の人たちをなんとかするのがオレの責任だと感ずるところから、沢井のサラリーマン根性が消えていく。そのうちに沢井を励ます者が出てくる。いろいろな出来事のなかで沢井も励まされ、沢井自身が変革への熱意を持ったリーダーに生まれ変わっていく。この沢井の変化が、太宝工業という組織の活性化の一つの原点になっているのである。

2　トップとしての哲学の確立

沢井自身の哲学は本文中各所に出てくるのでここで、詳しくは触れない。要するに人間にすべての原点を置く人間主義とでも呼ぶべき哲学である。これが、会社との関係では、人間が会社に従属する会社主義ともいうべき従来日本で一般的であった考えを、否定することとなる。そして会社が人間に従属するという沢井の人間主義の哲学となるのである。この哲学を原点として、沢井の諸方策やいろいろな行動が展開されているのは、ご覧とおりである。

A・H・マズローの欲求五段階説でいえば、私たちの多くは現在その第四段階の自我の欲求や、第五段階の自己実現の欲求という高次元の欲求の充足を求めて生きている。第一段階の生理的欲求のように、ハラがへった、何か食べたいという欲求を充足させるには、何か食べればよい。こういう低い次元の欲求は、欲求そのものも簡単明瞭に認識できるし、その充足方法も単純である。

しかし高次元の欲求になると、そう簡単にはいかない。まず自分がどういう欲求を強く感じているのかが、本人に容易に認識されない。ましてそれを何によって、どのように充足したらよいかはなおわからない。私たちの現状はこういう段階にある。暗中模索しているために、占いや賭けごとが流行することになる。

こういう状況に対応するためには、人間が知的、文化的に高水準にあること、あるいは別の表現をとれば人間が内面的、精神的に成熟していることが必要である。人間がそういう状態にある一つの証左は、その人がどういう哲学を持っているかである。会社にかぎらずこれからの組織のリーダーは、そのリーダーシップの原点を、その人が持つ哲学に求められることになるだろう。

以上の意味で、沢井は、トップが自分の哲学を持つことの重要性を強調している。その哲学の内容が組織のメンバーたちに受け入れられるだけでなく、魅力を感じさせるものであること、そしてトップはその哲学を言動やポリシーに具体的に表わすことが必要となるのである。

3　トップ集団の思想統一

トップ集団というのは、太宝工業のケースでいえば部長会議の沢井以下七名のことである。取締役が二〇名も三〇名もいる会社では、経営会議とか常務会のメンバーたちということになる。もちろん何十名いようと取締役全員の思想統一がはかられることがのぞましいのだが、多くの組織の現実の姿から見て、そんなことを言う前にまず大もとを固める必要がある。

また思想統一といっても、全体主義国家のように他の思想の存在はいっさい許されないというようなかたくななものではない。このケースでいえば、人間を重視するのか、軽視するのかというもっとも基本の原点における一致が必要なのである。

この一致さえあれば、それから先はいろいろなバラエティを持った展開ができるほうがよい。多様な問題意識、さまざまな発想、激しい議論、厳しい検討という現象が組織のなかに起こり、組織はいきいきと活性化してくる。

しかし、トップ集団の思想統一と簡単に書いたが、実は非常に困難なことなのだ。ホンネを出さないでほどほどに妥協しているから何とかなっている、というのが多くの実態であろう。組織は上から見るとホンネの姿はなかなかわからない。ところが下から見ると丸見えなのだ。だから下がやきもきするが、そういう下の声が上に通じて、上が反応するような上なら、もともと下がやきもきしないのである。

沢井は部長会議で初めは組織改正を、後には三か年計画をテーマに延々と話し合いを続ける。その合間に合宿研修や労組との徹夜交渉など、トップの思想統一に莫大な精力を投入している。

4　目標・方針の明確化とその徹底

沢井が言っている目標・方針は、紙に書いて額に入れ、事務所の壁に掲げておくようなものではない。自分を含めて組織のメンバーたちの心のなかに生きているものである。だから沢井は赴任直後、従来の形式化した死んだ目標による管理を廃止する。そして翌年の正月から新しい生きた目標を掲げ、以後その目標達成に向けて組織を動かしていく。

組織の上層部の目標方針がこのように組織を動かすものだとしたら、それは戦略的になすべきゴールを示すというかなりむずかしい内容を持つと同時に、それを実施してくれる第一線の社員たちに十分に理解され、受け入れられるだけでなく、ようし一つやってやろう、という達成への意欲を盛り上げるものでなければならない。これ以上突っ込んでいくと、沢井が長年勉強してきた目標による管理の話になってしまうので控えるが、正月に打ち出した全社目標方針、すなわち、

目標＝(1)安全第一――休業災害ゼロ、(2)黒字達成――今年度経常利益一億円以上

方針＝①オレがやる、②協力する、③明るくする

の内容とその平易な表現に留意していただきたい。

さらに、目標・方針を打ち出したら、あとは部課長たちよろしくやれではなく、その全社目標を達成する具体的な方策として、四月から一〇Z運動を展開して、その実行を確実にしていることを見逃してはならない。

ひと言で言うなら、良い目標を、うまく作って、その実行を確実にフォローしていくのである。

二　改革（活性化）の進め方

組織の活性化を進めるとき、とかく教育とか福祉施策に偏りがちだが、それでは効果が十分ではない。次の二つの面から手を打っていくほうが効果的である。

(1)　組織のシステム的側面の改革

(2)　組織の人間的側面の改革

1 システム的側面からの組織の改革、合理化

このケースの例でいえば、十月に行なわれた組織改正のほか、部長会議の運営方法の改善、新積算方式によるコストや販売価格のチェックとそれを発展させた三か年計画の作成、プロジェクト・チームによる物流管理体制の改善、パレット管理方式による仕上工程の改善等が該当する。つまり組織を仕事をする仕組み（システム）という視点で捉え、人間の労少なくして功多いように、仕組みを改善・合理化するのである。せっかくやる気を起こしても、システムが悪く労多くして功少ないとやる気をつぶしてしまう。逆に言えば、よく合理化されたシステムでどんどん効率が上がれば、やる気が高まり、活性化に貢献する。

この面を攻めるときの着眼点は、以下のとおりである。

(1) いろいろな計画を作り上げる仕組み（システム）は整備されているか。

戦略の構築から中長期計画、年度計画、目標、方針設定システム、予算、月次計画など仕事の計画が合理的、効率的に進められるようになっているか。

(2) 意思決定システムは整備されているか。

太宝工業でいう部長会議、課長会議その他諸会議のあり方、職務権限規程、稟議制度などの意思決定の仕組みが、合理的に作られているか。

(3) 業務遂行システムは整備されているか。

人事、経理、購買、販売、技術など各専門職能別の仕事の進め方が、どのような規程、手

続きになっているのか、この分野では毎日その仕事をやっている人びとのQCサークルなど小集団活動によって改善の成果を上げるのが効果的である。

ただ自発性を持った小集団活動は活性化にきわめて有効なのだが、テーマの選定がメンバーの話し合いで決められるため、部分的改善にとどまる宿命を持っている。太宝工業の例でいえば、受注―設計―鋳造―仕上げ―検査という長いシステムのなかの一部分だけが改善されても、全体のなかに埋没してしまったり、あるいは一部の改善がその前工程や後工程にマイナスになることもありうる。管理者の広い視野とその前向きな連携によって、テーマの選定に適切な指導が必要となるときがある。

2 人間的側面からの組織の改革、活性化

このケースの例でいえば、毎月の朝礼におけるトップの呼びかけ、良いストロークの打ち込みを意識した沢井の現場巡回、管理職との個人面談、花壇作り、社章の変更、賞金をかけたポスター・標語の募集、合宿研修、社内報の発行、管理職の給与カットの廃止、トイレの補修等が該当する。つまり人間の内面を刺激し、開放して、人びとの自発性、主体性を強め、発揮されていない能力や個性を引き出すことである。

この面を攻めるときの着眼点は、次のとおりである。

(1) 教育訓練の徹底

教育はＯＪＴ（on the job training　職場のなかで仕事のつど上司が部下を教育する）だ

と称して、社外セミナーなどＯｆｆ ＪＴ（off the job training　職場外教育、社外セミナーなど職場の外で教育すること）を否定する経営管理者がいる。たしかに教育の王道はＯＪＴである。

しかし、そういうことを言う人の実態を見ると、そのＯＪＴもろくに実施していない。要するに教育訓練に価値を認めていないのだ。あるいは教育費節約のための口実である。逆に見れば、その人はそれまでの人生のなかで、職場外では無視してしまっていいような教育しか受けてこなかったのだ。

ＯＪＴをしっかりやるには、各職場にそれをやれる優れた上司がいなければならない。そういう上司を育てるのはトップの責任である。いろいろなこだわりを捨ててＯＪＴを基本としながら、そのＯＪＴをしっかりやるためにも、Ｏｆｆ ＪＴを十分に活用するのがもっとも効果的なのだから、そうしたらよいのではないか。

沢井がこの面に大変な精力を注いだのは、ご承知のとおりである。

(2) 福利厚生施策の重点的実施

人間を大事にする哲学の経営者なら、福利厚生面に力を入れるのは当然のことである。沢井が赤字という経済的制約のなかで、この面に対してどんな手を打ち、それが組織の活性化にどう影響したかは本文中に明らかだから、ここでは触れない。

ただし、この太宝工業のケースは長年赤字が継続し、福利施設がいちじるしく老朽化しており、中高年社員が多い鋳物製造業という背景を持っている。社会一般には、もっと高い経済水準、立派な諸施設、若い社員がかなりおり、サービス業などもっと先端のほうの業種という条件のところが多いと思われる。

その会社の置かれている条件によって、この面の施策はかなり違ってくる。たとえば太宝工業では一年に一回の一泊二日の会社厚生旅行が、ずいぶん高い参加率で現在でも行なわれている。しかし会社によってはそんなおカネと時間があるなら、バラバラに、好きな者同士で、好きな旅をしたほうがいいとか、自分たちの勝手にさせてくれという人たちが多いところもある。

物質的欲望が満たされた高次元欲求の社会では、この面のあり方はそれぞれの会社の置かれている条件をよくつかんで考えなければならない。

(3) コミュニケーションの活性化

この問題が組織活性化の基本なのかもしれない、と沢井は言っている。少なくとも組織を活性化するには組織内で安心してホンネの話ができる明るい、風通しの良い雰囲気を作らなければならない。

足元の部長会議をまずそうするために、沢井は根気よく努力している。社内の会議という公式の場から現場巡回の社員との立ち話に至るまで、沢井がこの面に注いだエネルギーは相当なものがある。

あるいはまた社内のコミュニケーションの一部である社内報も「安全ニュース」というざら紙一枚を二つ折りにした四ページでスタートさせている。その後逐次ページ数を増やして、ある程度の雑誌が作れる力がついたところで、賞金をかけて誌名を募集して、「ふいご」という本格的社内報にしている。社員たちのいろいろな能力と個性の力をかりて、あくまでも手作りで、「ふいご」はその後も継続発刊されていくが、それは①オレがやる、②協力する、③明るくする、をそのまま具体化したものといえる。社員たちもこれを意識して「ふいご」を発刊しているところに大きな意味がある。

また、社内コミュニケーションの問題として、沢井の現場巡回が特徴的だが、これについて沢井は次のように言っている。

①社員からの直訴的な話は一応話として聞くことは聞く。しかし直接の回答は絶対にしない。むしろ、直訴は原則として取り上げない方針である。そうすればそのうちに直訴はなくなる。

②良いストロークを与えるようにすること。ある社長は現場巡回をするのだが、彼の歩いたあと、社員たちはやる気を失うと言われている。その社長は社員たちのミスをチェックし、文句を言って歩いたのである（悪いストロークを与えて歩いている）。沢井は良いストロークを打ち込みに歩いている。だから、彼の歩いたあとは明るく、やる気が出てくるのである。同じように現場を歩いてもこれだけの差が出てくる。

③トップは忙しい。変革を起こそうとしているときはとくに忙しい。しかし変革は現場で起こらなければ成果はないのだということをしっかり頭に入れて、手帳にスケジュールを入れるときに、会議や来客と会うのと同じように、いや、それ以上の重要性を持って、現場

巡回のための時間をとらなければならない。暇ができたらまわる程度の気持ちでは、月に一～二回しかまわれない。この程度のまわり方では、まわられるほうは何を見にきたのかと構えてしまうのだ。ホンネの接触などできるものではない。

三　活性化実現のためのその他の要件

1　同時並行多面作戦の展開

何か手をポツンと打って、三か月もしてから次の手をポツンと打つ。そんな間延びのしたやり方では組織の変革は起こらない。思い出したように時折りポツン、ポツンと打つ手など、既存組織のなかに飲み込まれてしまうのだ。

組織を変えようとするなら、本文に見るとおり、システム面とメンタル面の両方から毎月毎月次々と手を打って、息もつかさず勝負していく、そんなやり方が必要だ。沢井はこういうやり方を同時並行多面作戦と名づけている。

「社長、あんたが来てから何となく忙しくて、わしら、あれよ、あれよと言っている間に、気がついたら黒字になっていたよ」

「やれ標語を出せ、ポスターを書け、新しいバッジを配るぞ、ＱＣの勉強しろ、合宿研修だ、花壇作れ、何だかんだと仕事と仕事以外の何やらとごちゃまぜにして、バタバタ走りまわっているうちに黒字になっちゃった」

などと言う社員たちの言葉は、沢井の同時並行多面作戦をやらされた側の感想である。

2 活性化の決め手

沢井は最後に言う。活性化の決め手は古い管理の考えを捨てることだ、と。エライ人が上から命令し統制する。情報を流さず、下を冷たく見下して、押しつけ、叱り、ミスを修正させる。こんな管理意識はもはや効果を上げられない。

みんなが内に持っているものを開放し、盛り上げ、引き出し、励ます。暖かく理解し、共感し、育て、いっしょに働く。こんな心情とそれを支える人間主義の哲学、これをトップが持っていることが活性化の原点である。

ただ、困ったことに、と沢井はつけ加える。人間は自分のことが一番わからない。だから、自分はそういう心情と人間主義の哲学を持っていると思っているトップが、実は冷たい統制をしていることに自分で気がついていない。周りの人はもちろん気づいているのだが、誰もトップにそれを言う人がいない。こんな現実が非常に多いのは誠に残念である。

だから沢井は、周りの人びとが自分をどう評価しているかという情報を正確につかむことに、非常に神経をつかっている。部長会議でのフリーな議論、労組との交渉時の泊まり込み、合宿研修でのやりとり、ミドルとの個人面談、現場巡回における監督者や作業員との接触など、自分への評価をつかむさまざまな仕組みを作っている。

しかしこういう仕組みを作っても、沢井が権威的で部下たちを見下す人間だったら、彼の人間性に対する正確な評価の声は耳に入ってこないだろう。そこで沢井は社長としての役割を果たしながら、人間としては誰とも対等の一人対一人として接することに努めてきた。

これだけのことをやっても、沢井はまだこの点について十分だとは考えていない。親会社からの出向社長という立場では、プロパーの人びとの正確な評価の声は容易につかめるものではない。そこで前述のようないくつかの仕組みを作り、権威的になることを拒否しながらも、さらに次の手として、大島、和田の二人のパーソナル・スタッフを身近に置いている。とりわけ和田は、そのキャリアと人柄から、現場のナマの情報を取って来ることができる人であった。和田のこの特徴を沢井は重視して、わざわざ営業部門から引き抜いて、改革の事務局ともいうべき安全環境部に和田を連れて来ている。そしてこの二人から自分に対する正確な評価を得ようとしている。

つまり沢井は、自分を客観的に眺められる手段を、二重にも三重にも作っているのである。彼自身のＳＴの体験とその後のさまざまな勉強のなかから、自分自身を客観的に知ることのむずかしさを、沢井はいやというほど知っている。とりわけ組織のなかでその地位が上に行くほど、それはむずかしくなってくる。社長というトップの地位についたとき、そのむずかしさは極点に達する。

トップが人間主義の哲学を持ち、開放的な管理概念によってリーダーシップを発揮するということが、トップの独りよがりでなく、客観的に事実として行なわれていくことが、組織活性化の決め手なのである。

解説者――おわりに

著者の猿谷雅治氏は、住友金属鉱山㈱の社員時代から、ドラッカーのMBO‐Sの実践に飽くなき情熱を傾けて、その普及活動に生涯を捧げた人である。なんとかして、ノルマ管理に代わるマネジメントを確立したいという思いを込めて、『目標管理の再設計』（青葉出版／一九八三年）を執筆し、それをベースに『黒字浮上！・最終指令　出向社長奮斗の記録』（ダイヤモンド社／一九九一年）を出版したのである。

初版以来、この物語は多くの人びとの支持を受けてきた。もちろん、私が携わったほとんどの研修でも副読本として読まれている。たとえば、キリン㈱、パナソニック㈱、ソニー生命保険㈱、オムロン㈱、宇部興産㈱などである。また、宮城県経営者協会大崎支部（支部長／千葉基氏）のように、有志勉強会の教材として輪読されるなどの例もある。そういう読者の方々から、さまざまな疑問や質問をいただいた。その大部分は解説ノートに記したつもりであるが、若干の漏れもある。それらのいくつかに触れ、本書の終わりとしたい。

個人目標は不要なのか？

圧倒的に多い質問は、ＭＢＯ－Ｓの物語であるにもかかわらず、「個人目標の話がまったく出てこない」というものである。多くの企業の目標管理制度が個人目標に傾斜している現状を察すれば、当然の疑問だろう。

たしかに、物語には「職場のＭＢＯ－Ｓ」を強調するあまり、個人目標の描写は希薄である。しかし、猿谷氏は、職場目標の達成に向けた個人の役割の目標化は否定しないし、そうすべきである、と研修や講演などで語っている。「職場目標をみんなで達成しよう」という構図が大切であり、それなしに、個人目標のみを追いかけてもＭＢＯ－Ｓは機能しにくい。それが、昭和四〇年以降、ＭＢＯ－Ｓの実務と理論構築に取り組んできた猿谷氏が辿り着いた結論なのである。

善人ばかりの集団ならば…

この物語には悪人らしき人物が見当たらない。太宝工業のような「善人ばかりの集団」ならば、オレでも黒字にしてみせるという声も聞こえてくるが、人間集団である以上、太宝工業にも、善人とは言い難い人たちが存在したであろうことは想像に難くない。

物語の背景となっている一九八〇年頃は、今日とは比較にならないほど、多くの人たちが日本という国と自分の将来に希望を持っており、誠実感や道徳観も豊かな時代であったように思われる。働く人びとは、今よりもはるかに強固な所属企業への帰属意識を持っていた。その意味では、働く人々はみな善人であり、マネジメントもやりやすかったかもしれない。

しかしながら、人間同士の関わり合いには必ずコンフリクトが付きまとう。そんな厄介な人間たちが、心を通わせて「目標達成集団」として機能するには、大変な苦労と相当な努力があったはずである。

著者は当初、上下二冊本のボリュームで原稿を用意した。しかし、「ビジネス本の上下分冊は営業的に無理がある」という出版社側の意向を汲み入れて、再度一冊用に書き直したという。その過程で、沢井社長と従業員、あるいは従業員同士の葛藤のかなりの場面が割愛され、内容は「オレがやる、協力する、明るくする」という三方針を基軸とした組織活性化策のエッセンスに収斂したという。だから、物語には善人だけが登場し、話がとんとん拍子に進むように錯覚するのである。

普遍性を持つ「人間主義経営」

本書は古い事例であり、グローバル化が著しい今日の経営にはあまり役立たないのではという批判的な意見もある。指摘のように、初版以来ずいぶんと時間は経っている。そのままそっくり、再現できにくい方策が紹介されているかもしれない。だが、物語の根底に流れるコンセプトは、人間の真実の姿であり、切なる願いでもある。そのような人間の本質に迫る「人間主義経営」は、時代と国境を越えた普遍性を持ち合わせているものと確信する。

著者のご子息（猿谷徹氏）は、赴任先のマレーシアの現地法人で、父親の遺した三つの方針をローカル・スタッフの助言も踏まえて、以下のように翻訳し、その実践活動に注力した。その方針に従業員は反応し、組織の活性化が促進されたという。

・Positive Thinking　（オレがやる）
・Good Team Work　（協力する）
・Happy Working Environment（明るくする）

同氏はその後、カナダに赴いて、そこでも英訳の三方針を経営の基軸に据える。ただし、個人主義的色彩のある欧米文化も考慮に入れて、「Be Fair！（何事にもフェアであれ！）」という方針を追加した。四方針の経営はカナダの人たちにも好意を持って受け入れられ、マネジメントの強い味方になったという。たとえ、文化の違いがあろうとも、人間と人間集団のあり方には相通ずるものが存在する。その証左となる事例ではなかろうか。

一方、国内に目を転ずれば、ＭＢＯ‐Ｓという言葉を使わずに、本書のようなマネジメントを展開すると宣言し、ＭＢＯ‐Ｓの本質を仕事に溶け込ませている職場も少なくない。研修の受講者からは、「目標管理のイメージが一変した」「職場に戻って、オレがやる・協力する・明るくするを率先する」と、きわめて前向きな反応が帰ってくる。間違いなく、今日でも、この物語は学びの糧となり得る教材なのである。

今回の最新版の出版を契機に、学びの体験をできる限り多くの方々にしてほしい。組織のなかで体験者が増えれば、ＭＢＯ－Ｓもどきのノルマ管理や、形式的な人事考課ツールと化してしまった目標管理制度が、ふたたび本来の姿を取り戻すであろう。そうなるならば、猿谷雅治氏はもとより、ＭＢＯ－Ｓの普及がライフワークの私にとっても、このうえない幸せである。

末尾になったが、猿谷雅治氏のご遺族にはあらためて深い感謝の意を表したい。また、企画から上梓までお世話いただいたダイヤモンド社の中嶋秀喜編集長と真田友美さんにも感謝の気持ちを申し述べ、解説者の役割を終了する。

五十嵐コンサルタント株式会社　代表取締役　五十嵐　英憲

［著者］
猿谷雅治（さるや・まさはる）
1952年東京大学経済学部卒業。住友金属鉱山（株）入社。経理、人事、組織、社長室のほか、事業部総務部長、関係会社出向などを経て1981年取締役就任。1984年常務取締役企画管理本部長。1993年富士短期大学教授。1996年富士短期大学副学長を経て富士短期大学経営研究所教授。1998年没。1964年、「目標による管理」を導入、実施して会社の業績向上に大いに寄与。人間を尊重する目標による管理の思想を中軸として、新しい経営管理論、組織論、リーダーシップ論などの実務への展開に力を注ぐ。主要著書に『目標設定による管理体制』『目標管理の要点』『目標管理の考え方』『創造的リーダーシップ』『仕事と目標と生きがい』などがある。

［解説者］
五十嵐英憲（いがらし・ひでのり）
1969年早稲田大学商学部卒業。資生堂、リクルートを経て、教育コンサルタントとして独立。現在、五十嵐コンサルタント㈱代表取締役。（株）自己啓発協会インストラクター。専門分野は業績向上と働きがいを促進するＭＢＯ-Ｓ（目標管理）研修、マネジメント・システムの構築支援。著書に『個人、チーム、組織を伸ばす 目標管理の教科書』『新版 目標管理の本質』（ダイヤモンド社）などがある。
連絡先　igarashi@pp.iij4u.or.jp

黒字化せよ！　出向社長最後の勝負

——万年赤字会社は、なぜ10カ月で生まれ変わったのか

2014年4月24日　第1刷発行
2024年5月21日　第10刷発行

著　者——猿谷雅治
解　説——五十嵐英憲
発行所——ダイヤモンド社
〒150-8409　東京都渋谷区神宮前6-12-17
https://www.diamond.co.jp/
電話／03･5778･7233（編集）　03･5778･7240（販売）

装丁————岩瀬聡
装画————龍神貴之
本文デザイン—布施育哉
製作進行——ダイヤモンド・グラフィック社
DTP　———インタラクティブ
印刷————八光印刷（本文）、加藤文明社（カバー）
製本————本間製本
編集担当——真田友美

ISBN 978-4-478-02658-8